a esperança é uma torta de maçã

Obras da autora publicadas pela Galera Record:

De volta a Blackbrick
A esperança é uma torta de maçã

SARAH MOORE FITZGERALD

A esperança é uma torta de maçã

Tradução
Joana Faro

4ª edição

GALERA
junior
RIO DE JANEIRO
2024

CIP-BRASIL. CATALOGAÇÃO NA PUBLICAÇÃO
SINDICATO NACIONAL DOS EDITORES DE LIVROS, RJ

Fitzgerald, Sarah Moore
F581e A esperança é uma torta de maçã / Sarah Moore Fitzgerald; tradução Joana Faro. – 4ª. ed. – Rio de Janeiro: Galera Record, 2024.

Tradução de: The apple tart of hope
ISBN 978-85-01-10455-7

1. Ficção juvenil americana. I. Faro, Joana. II. Título.

16-33950 CDD: 813
CDU: 821.111(73)-3

Título original:
The Apple Tart of Hope

Texto revisado segundo o novo Acordo Ortográfico da Língua Portuguesa.

Editoração eletrônica: Abreu's System

Direitos exclusivos de publicação em língua portuguesa somente para o Brasil
adquiridos pela
EDITORA RECORD LTDA.
Rua Argentina, 171 – Rio de Janeiro, RJ – 20921-380 – Tel.: (21) 2585-2000,
que se reserva a propriedade literária desta tradução.

Impresso no Brasil

ISBN 978-85-01-10455-7

Seja um leitor preferencial Record.
Cadastre-se e receba informações sobre nossos
lançamentos e nossas promoções.

Atendimento e venda direta ao leitor:
sac@record.com.br

Para Ger

A PRIMEIRA FATIA

Era preciso haver uma ambulância do lado de fora da igreja para o caso de alguém desmaiar. Homens com braçadeiras verdes comandavam o trânsito. Alguém escrevera "LOTADO" em vermelho em uma placa e a pendurara na entrada do estacionamento. Vizinhos abriam seus portões.

Lá dentro, grandes tiras de papel tinham sido coladas no encosto dos assentos das quatro primeiras fileiras, onde outra placa dizia "Reservado para a 3R", porque só os alunos da turma dele podiam se sentar ali.

Todo mundo estava atônito. Era o Dia de Oração em prol de Oscar Dunleavy, que estava desaparecido, presumidamente morto, e ninguém nunca se acostuma com algo assim.

O padre Frank estava bem no centro de tudo. Dizia que os colegas de classe de Oscar iam precisar de espaço, proteção e respeito por causa das "coisas estranhas, tristes e incrédulas" que você sente quando acha que uma pessoa da sua turma nunca mais vai aparecer.

Também iríamos precisar de cobertores, porque o aquecimento da igreja tinha quebrado, exatamente quando o clima de fevereiro havia piorado de novo.

Ouvi o padre Frank dizer aos pais que "enfrentaríamos uma época muito difícil", vendo a mesa de Oscar vazia e passando por seu armário ainda trancado e rabiscado, que ninguém tivera coragem de arrombar. O padre Frank estava em seu elemento, concentrado em algo mais importante que seus deveres habituais — que geralmente envolviam andar pela escola dizendo às pessoas para recolher seu lixo ou cuspir o chiclete.

Agora, ele tranquilizava gente triste e traumatizada e falava a língua do luto e do conforto. E, pelo visto, era fluente no idioma.

Ele explicou que, mesmo quando parecesse que todo mundo estava bem, ainda iríamos nos deparar com momentos desconcertantes, quando a perda de Oscar seria como um ataque a nossa mente jovem e impressionável, não só durante aquelas tristes semanas vazias, mas por muitos anos.

Todo mundo entrou em fila. Rostos pálidos. Narizes vermelhos. A turma fundiu-se em uma única mancha silenciosa, um borrão azul de uniformes reluzindo como um gigantesco fantasma.

Toda vez que eu olhava para a multidão, via algo que não queria ver: o rosto trêmulo de um homem adulto, uma mulher remexendo a bolsa em busca de um lenço, lágrimas pingando do queixo de alguém. Cumprimentos eram murmurados em voz baixa, e havia tosses estranhas.

E lá estava o pai de Oscar, empurrando a cadeira de rodas de Stevie, ambos parecendo os elos quebrados de uma corrente. Por um segundo, o gritinho do bebê de alguém flutuou acima de nós; um acidental barulhinho feliz ressoando límpido e puro em meio ao desespero. Havia flores, toneladas e mais toneladas de flores, todas azuis e amarelas.

— Centáurea. Ranúnculo — disse o padre Frank, em algum momento de seu discurso interminável. — Centáurea para o azul de seus olhos azuis. Ranúnculo para sua alma luminosa.

— Sério, foi isso mesmo que ele falou.

Algo no ar cheirava a ervas e almíscar. A poeira parecia se erguer dos cantos da igreja como um tipo de névoa sobrenatural. E durante toda a desnecessária cerimônia, minha turma inteira parecia estar fazendo de tudo para não olhar nos olhos uns dos outros.

* * *

Eu estava prestes a concluir que o discurso do padre Frank realmente ia durar para sempre, quando sua voz ficou mais grave e lenta, e então mais solene, indicando o final de algo e o início de outra coisa.

— Hm-Hm — disse ele. — Agora vamos pedir à melhor amiga de Oscar que venha aqui, por favor, para sua leitura. Ela era a pessoa mais próxima dele e vai dizer algumas palavras em memória do amigo; em nome de todos nós que o conhecíamos tão bem e o amávamos tanto.

Senti que estava ficando quente por causa daquele constrangimento típico de quando não se está preparado para uma coisa importante. Ninguém tinha me falado nada sobre a leitura. Eu não estava a fim de ficar diante de ninguém e dizer nada. Mas respirei fundo algumas vezes e disse a mim mesma que precisava manter a calma pelo Oscar. Tinha certeza de que as palavras que eu devia ler estariam lá em cima no pódio ao lado do padre Frank, esperando por mim. Alguém deveria ter conversado sobre isso comigo com antecedência, e talvez tivesse havido alguma confusão, porque ninguém conversou, mas achei compreensível sob aquelas circunstâncias.

Não havia ninguém por perto esperando para me dar instruções, e eu só conseguia ver o topo da cabeça das pessoas.

Enquanto o silêncio se expandia dentro da igreja e as pessoas se remexiam nos bancos, eu me levantei. A multidão pareceu estremecer diante de mim.

Então ela se levantou. Cintilante e com os cabelos dourados, erguendo-se como um anjo de seu lugar e andando com tanta graciosidade até o altar da igreja que parecia flutuar. Ao vê-la, fiquei com os pés pesados; presa ao chão. A garota angelical foi até o microfone.

— Quem é essa? — perguntei à minha mãe, que não sabia.

— Quem? — Eu me inclinei para Andy Fewer, que estava sentado na fileira da frente. E quando a garota começou a falar, percebi que já vira sua silhueta e sabia quem era.

— *A morte não é absolutamente nada...*

A voz dela era como chocolate derretido e deslizou entre nós como se uma música tivesse começado.

— *... um breve momento e tudo voltará a ser como antes.*

Andy se virou para mim com um olhar confuso.

— É a Paloma — disse ele, como se eu tivesse perguntado em que planeta estávamos. — Paloma Killealy.

"Claro", pensei. "Claro que é."

Quando ela terminou de ler, disse que havia uma música que era a preferida do Oscar, tipo, de todos os tempos, e que sempre pensava nele quando a ouvia.

— Esta é para você, Osc — disse ela, e começou a cantar uma música que não reconheci.

Osc? Esse nunca foi o apelido dele. Ninguém nunca o chamava assim.

* * *

Quando algo ruim acontece a alguém jovem, e quando as pessoas se reúnem em uma igreja para rezar por essa pessoa, há uma vibração estranha, meio como um zumbido ou um chiado. Tudo estremece, como imagino que aconteceria no início de um terremoto, como se até o chão estivesse chocado e horrorizado com a injustiça de tudo aquilo.

"Ele tinha tanta vida pela frente", era o tipo de coisa óbvia e inútil que todo mundo não parava de repetir. Não que qualquer coisa que alguém dissesse fosse fazer um pingo de diferença; pelo menos não nesse momento. Era "tarde demais", diziam. Porque Oscar havia tomado sua decisão, e nós teríamos de sofrer pelo resto da vida por causa disso. Ele partira. E, àquela altura, todo mundo meio que tinha certeza de que não ia voltar.

* * *

Fevereiro era a época do ano preferida de Oscar.

Eu dizia que ele devia ser a única pessoa do universo que tinha um mês preferido, mas ele era muito teimoso em relação a isso. Explicava que, quando você deixa de ser criança, o Natal se torna apenas uma terrível decepção. E janeiro nunca passou de um mês sombrio e entediante, cheio de deveres de casa e jantares sem graça. Mas aí, bem quando o mundo parece estar em seu ponto mais desanimador, fevereiro chega, surpreendendo como um melhor amigo que você não encontrava havia algum tempo, dando um tapinha em seu ombro.

Além do mais, esse fevereiro em especial tinha uma característica nova, que nos permitia planejar coisas que nunca tínhamos feito. Coisas empolgantes, coisas diferentes, coisas de adolescentes. Não éramos mais criancinhas, e esse fevereiro fora repleto de todos os tipos de novas oportunidades.

Agora, qualquer oportunidade que Oscar pudesse ter diminuíra radicalmente. Para zero.

* * *

Do lado de fora, nos degraus da igreja, havia formalidade e silêncio, mas também muitos murmúrios que iam ficando mais altos, como se um monstro distante e gigantesco estivesse se aproximando a cada segundo.

Um grupo de pais se aglomerou ao redor do padre Frank, e o sol brilhava como uma piada de mau gosto, deixando tudo mais bonito do que merecia estar. Andy estava ali, assim como Greg, e o padre Frank perguntava:

— Ah, meu Deus, rapazes, por quê? Por que alguém com tantas qualidades... terminou tudo do jeito que ele parece ter feito?

— Ah, padre, sabe, pode ter sido por muitos motivos — disse Andy, sério e eloquente, como se fosse um especialista no assunto. — Pessoalmente, acho um milagre qualquer um de nós sobreviver.

— O que você quer dizer? — perguntou o padre.

— Quero dizer que, quando você está crescendo, existe um momento em que o mundo parece meio sem sentido — continuou Andy. — Quando o terror da realidade desaba sobre você, como algo caindo do céu.

— Algo caindo? Como o quê? — insistiu o padre, esforçando-se ao máximo.

— Algo grande, como um piano, por exemplo, ou uma geladeira. E, quando isso acontece, não dá mais para voltar atrás.

— Mas e quanto ao prazer, à alegria e à motivação, como esportes, música, garotas e coisas assim? — O padre Frank já estava quase suplicando.

— Ficção. — Andy suspirou. — Miragens no deserto da vida, para convencer as pessoas de que ela pode valer a pena.

— Ah — disse o padre Frank. — Ah, entendo. E todos os jovens têm essa sensação?

— Acho que sim — respondeu Andy, sem sequer perguntar a opinião de mais alguém. — Mas a maioria de nós aprende a viver com isso.

— Bom, acho que isso é um alívio.

* * *

Levei séculos para encontrar Stevie, sentado na cadeira de rodas perto da entrada da igreja. Seu pai estava ali perto, totalmente ocupado com o solene e repetitivo trabalho de apertar centenas de mãos.

— Ah, Stevie — falei, me abaixando para abraçá-lo.Fechei os olhos, e as lágrimas que tentava manter dentro de mim transbordaram.

— Está tudo bem, Meg — sussurrou ele, mesmo que obviamente não estivesse. Mas senti algo parecido com alívio ao olhar para o rosto dele. — Quando você voltou? — perguntou, e contei que tínhamos chegado na noite anterior. Que tínhamos vindo o mais rápido possível ao saber da notícia. Ocorreu-me que parte da razão para tudo ainda estar tão incerto era que eu devia estar com jetlag. Não conseguia enxergar claramente.

Mas em meio a essa névoa de murmúrios pesarosos, havia um contentamento em Stevie, uma luz em seus olhos que me animou um pouquinho e me fez sentir que talvez houvesse alguma razão para ficar alegre, esperançosa ou, até, levemente otimista.

— O que aconteceu, Stevie? Que diabos aconteceu? E por que todo mundo está agindo assim? Essa missa? Uma *missa*? Quero dizer, não se faz isso a não ser que esteja bem claro que a pessoa está definitivamente morta. A não ser que haja provas. Quero dizer, não temos motivos para acreditar que ele está *morto*. Temos?

Stevie olhou para mim e deslizou a cadeira um pouco mais para perto.

— Exatamente! — sussurrou ele. — É isso que tenho tentado dizer a todo mundo! Graças a Deus você está em casa, Meg, porque, sério, é a primeira pessoa, a primeira pessoa com quem conversei, com exceção de mim mesmo, que não acredita nisso. Eu sabia que poderia contar com você, e estou *muito* feliz por você ter voltado, porque eu estava me sentindo sozinho aqui, meio que pensei que estava ficando louco, para ser sincero. Todo mundo está dizendo que ele cometeu suicídio. Fala sério, não é? Não faz o menor sentido... não faz mesmo.

— Stevie, você precisa me contar tudo o que sabe. Cada detalhe do que aconteceu antes do desaparecimento dele.

— Vou fazer o melhor que puder, Meg — disse Stevie. — Tenho repassado tudo sem parar na minha cabeça. Mas agora não temos tempo para conversar. — Ele franziu a testa e olhou em volta, parecendo muito mais velho e sábio que um garoto da idade dele normalmente parece. — Vamos nos encontrar mais tarde no píer. Vejo você lá. Espere até mais ou menos meia-noite, OK?

— Como você vai chegar lá sozinho a essa hora da noite, Stevie?

— Sem problema — disse ele de um jeito nada pesaroso, o que me deu ainda mais esperança. — Aconteceu muita coisa depois que você foi embora. Sou praticamente autossuficiente! — Ele abriu um sorriso tão largo que começou a atrair atenção indesejada, então reassumiu uma expressão mais séria e, falando com a discrição furtiva de um espião, disse para eu me misturar, não dizer nada e encontrá-lo mais tarde como combinado.

A multidão andava de um lado para o outro. Braços eram colocados ao redor de pessoas, e muitas choravam. A distância, toda hora eu percebia de relance o cabelo dourado de Paloma Killealy e, em todos os cantos da aglomeração murmurante, eu conseguia ouvir o nome dela dito suavemente de pessoa para pessoa, como se fosse um poema. Paloma Killealy. Paloma Killealy. Paloma, Paloma Killealy.

A SEGUNDA FATIA

Eu não morri. Nunca morri. Não estou morto. OK, estou me sentido muito mal com a situação toda; por ter desaparecido naquela noite sem dizer para onde ia, com o fato de que todo mundo presumiu que eu estava realmente morto, e por ter deixado que acreditassem nisso.

Eu estava sobrecarregado. Foi por causa dessa sequência de eventos que acabei querendo pedalar mais rápido que nunca pela praia e cair no mar escuro.

* * *

Eu me lembro de como, depois disso, fiquei dizendo a Barney que eu era um completo idiota, que tinha me tornado um inútil e o quanto odiava a mim mesmo.

Ele sempre respondia que sabia como eu me sentia, e não era algo falso como o que algumas pessoas dizem quando estão tentando ajudar. Eu tinha quase certeza de que ele era sincero.

É muito importante se apegar à verdade quando você está sendo tirado do mar depois de querer se afogar. Eu poderia ter deixado ele me levar. Poderia tranquilamente estar morto agora, e, pensando bem, isso é até engraçado. Quando eu digo engraçado, o que realmente quero dizer é estranho e meio perturbador.

Ao ouvir o barulho de uma sirene berrando na sua mente, não demora muito até você ser invadido por uma sensação de indiferença pelo que acontece e se tornar irresponsavelmente autodestrutivo. Eu costumava ser cheio de energia e felicidade, mas mal conseguia me lembrar dessas sensações. As coisas alegres e infantis que eu pensava foram substituídas. Muitas novas percepções começaram a crescer dentro de mim, como ervas daninhas emaranhadas, e isso estava começando a me matar. Foi por isso que tomei a decisão de ir ao píer de bicicleta no meio da noite e me jogar lá de cima.

Meus planos tinham sido arruinados e, quando aquela noite chegou, pareciam o metal retorcido de um carro acidentado do qual não sobrara nada... nada que não estivesse arqueado e destruído, nada que fizesse sentido.

Não consegui me matar. E no momento em que descobri que nem isso eu conseguia fazer direito, decidi pela segunda melhor opção. Resolvi me afastar e fingir que tinha morrido. Por certo tempo depois disso, parte de mim quis que alguém viesse e me encontrasse.

Foi meio irritante ter a impressão de que ninguém procurou muito. Após um período aflitivamente curto, todo mundo pareceu se contentar em presumir que eu tinha partido (depois de uma busca que só pode ser descrita como meia-boca), e voltou à própria vida o mais rápido possível. Alguns policiais visitaram a casa de Barney, mas, quando ele lhes disse para irem embora e pararem de incomodá-lo, foi o que fizeram.

Você não deveria desistir das pessoas quando elas desaparecem. Não deveria pensar: "Que pena, mas fazer o quê? As coisas são como são."

Na verdade, o desaparecimento de alguém é a deixa para todo mundo sair e procurar, e não parar até estar com as unhas sujas de terra e a alma dilacerada de tantas pedras que levantou para ver se estou debaixo de alguma delas. Se quer saber a minha opinião, aceitar o desaparecimento de alguém é meio ofensivo. É um insulto à memória da pessoa.

Mas eu aprendi muito. Conforme os dias passavam, aprendi que continuar perdido tinha um sentido próprio. Aprendi que não existe tanta diferença assim entre fingir estar morto e estar morto de verdade. Até onde eu sei, ambos acabam dando no mesmo.

Aprendi que, se algum conhecido desaparece, você não deve tirar conclusões automaticamente. Deve fazer perguntas, e olhar, e procurar até ter certeza. Não desista até ter eliminado todas as possibilidades. Mantenha a esperança em seu coração.

A TERCEIRA FATIA

De acordo com os relatos, Oscar tinha pegado sua velha mountain bike na garagem e chacoalhado pela estrada até a ponte Hallow, cujas luzes sempre pareciam piscar para você. As pessoas diziam que ele devia ter pedalado lá de cima e se jogado no mar.

— Existe alguma prova de que ele fez isso? Onde estão as evidências? — Foi o que Stevie e eu perguntamos um ao outro ao nos encontrarmos, como planejado, à meia-noite depois da missa de Oscar.

— Teve a bicicleta — disse Stevie. — Encontraram a bicicleta dele. Um dos mergulhadores a tirou da água, retorcida e pingando. Alguém a apoiou naquele último poste de amarração de pedra, e ela ficou assim por alguns dias.

Stevie empurrou a cadeira até o poste e o contornou devagar.

— Ninguém queria tocá-la ou tirá-la do lugar. Era como uma maldição da qual todo mundo estava com um pouco de medo. As pessoas não queriam nem *olhar* para ela. Dava para ver que tomavam o cuidado de desviar os olhos.

Stevie disse que ele, no entanto, havia olhado; não tinha problemas com isso. Você precisa examinar todas as pistas com atenção se quiser chegar ao fundo de alguma coisa. Ele contou que voltou várias vezes para olhá-la, até seu pai pedir a alguém que levasse a bicicleta embora. Segundo ele, o jeito como ela estava apoiada tinha algo de humano, como se buscasse conforto no frio poste de amarração.

Muitas outras pessoas tinham visitado o píer nos dias seguintes ao desaparecimento de Oscar, para deixar flores e balançar a cabeça umas para as outras, mas sobretudo para bisbilhotar e se intrometer.

Meu pai diz que a Sra. Gilhooly, que mora no final da rua, é uma especialista em causar comoção. Mesmo em seus melhores momentos ela é sempre muito dramática. Enquanto se ocupava no píer, falando com os mergulhadores e atualizando as pessoas dos últimos acontecimentos, ela havia soltado seus suspiros.

— Que crueldade! Aquele poste ali parado, duro, sólido e insensível, exatamente como devia estar quando o pobre menino se jogou.

Stevie contou que ficou furioso com a Sra. Gilhooly, e disse que ela não devia fazer comentários sobre coisas das quais não sabia nada.

— Como você sabe que ele se jogou? Por que está tirando essa conclusão tão rápido? Se o meu irmão está morto, então onde ele está? — pressionou ele. — Onde está o corpo? Diga, se você tem tanta certeza!

E a intrometida Sra. Gilhooly perguntara a Stevie onde estava o pai dele, porque menininhos enlutados de cadeira de rodas não podiam ficar sozinhos no local da morte trágica do próprio irmão, no que lhe parecia uma condição vulnerável e descontrolada.

Stevie dissera que, para a informação dela, ele não estava de luto. Estava observando, procurando e pensando muito, e outras coisas importantes que mais ninguém estava fazendo direito. Explicara que tinha permissão de fazer o que quisesse, e que o que ele fazia, ou aonde ia, sozinho ou com qualquer outra pessoa, não era da conta de ninguém, muito menos dela.

Eu detestava pensar naquela bisbilhoteira perturbando Stevie.

Mas eu mesma precisava fazer algumas perguntas desagradáveis a ele, mesmo que fosse difícil pensar nelas.

— Ele podia estar infeliz, Stevie? Acha que algo pode ter acontecido para levá-lo a querer, sabe, fazer algo assim?

— Olhe, todo mundo fica triste de vez em quando. Isso não torna ninguém suicida.

— É, eu sei, mas talvez...

— Meg — disse ele, erguendo a mão como um pequeno escudo. — Eu preciso de você para continuar mantendo a fé. Você precisa acreditar que ele está vivo. Se pararmos de acreditar nisso, não vai haver ninguém torcendo por ele. Onde quer que Oscar esteja agora, ele precisa de alguém do seu lado. Você não vê? É obvio que ele simplesmente foi passar um tempo em algum lugar. Eu sei que vai voltar. Nossa função é descobrir onde é esse lugar e fazer tudo o que for necessário para ajudá-lo a voltar para casa. Este não é o momento de duvidar, Meg. Isso é muito importante. Na verdade, é a coisa mais importante na qual teremos de acreditar em toda a nossa vida.

Eu concordei, mas sabia que ele tinha notado minha hesitação.

O pessimismo é um sentimento contagioso, que está em todos os lugares. Parte de mim tinha meio que começado a imaginar Oscar fazendo o que todo mundo dizia que ele fizera, e não sei bem por quê, mas eu tinha até começado a ouvir uma espécie de barulho de água espirrando antes de cair no sono, e também a sonhar que via o corpo de Oscar flutuando em algum lugar, com a água escura batendo, lenta e salgada, em seu cadáver pálido e descalço.

* * *

Centenas de pessoas tinham se envolvido nas buscas. Stevie me contou que ele e o pai estavam no píer quando um mergulhador encontrou os sapatos de Oscar. Ele os entregou a seu pai, que os colocou com cuidado na mochila, e dava para ver as manchas de água se alastrando pelo tecido enquanto ele andava até o carro. Stevie disse que foi como se de repente a mochila tivesse se transformado no mapa de um continente desconhecido, cheio de países enormes, escuros e irregulares.

Stevie insistia que ninguém estava se esforçando o bastante, mas, pelo que pude ver, muita gente estava fazendo o máximo possível. Por muito tempo, equipes inteiras de homens de pé de pato e roupas de mergulho perambularam pelo píer durante o dia, dando passadas enormes antes de mergulhar em busca de mais evidências, ou aglomeraram-se em barcos laranja que flutuavam para longe pela água.

As pessoas não consideravam aquilo uma busca pelo corpo de Oscar, mas gradualmente todo mundo se deu conta de que era isso. Eles mergulharam várias vezes pela costa rochosa.

E então, conforme a esperança de encontrá-lo ia diminuindo aos poucos, o pai de Oscar continuou andando pelas partes mais íngremes da costa com binóculos permanentemente colados ao rosto.

Não fazia sentido, era o que muita gente dizia, mas o pai dele devia continuar acreditando, como Stevie fazia, como eu estava tentando fazer. Do contrário, o que estaria fazendo lá, sob sol ou chuva, procurando, procurando, procurando?

— Oi, Meggy — dizia ele sempre que nos encontrávamos, e sorria. Mas não era um sorriso de verdade. Parecia mais como se algo pesado estivesse sendo puxado em seu rosto.

— Oi, Sr. Dunleavy — respondia eu, e ele me dizia para chamá-lo de Bill. — Como está Stevie?

Era uma dessas perguntas que você faz para ter algo a dizer. Eu já sabia como Stevie estava.

O quarto dele ficava no térreo da casa dos Dunleavy, por causa da cadeira de rodas. Se eu estivesse na minha casa, conseguiria conversar com ele da nossa sala de estar, assim como fazia com Oscar do meu quarto no andar de cima. Mas eu não estava na minha casa. Os Killealy, Paloma e a mãe dela estavam lá. Eu tinha começado a ir até lá de bicicleta sempre que podia para ficar do lado de fora da janela dele, bem ao lado da cerejeira apertada sob o espaço que antes pertencia a mim e a Oscar.

Às vezes olhávamos para cima e víamos a luz de Paloma se acender, mas não dizíamos nada sobre ela. Eu não me importava se ela achasse que eu ficava rondando. Eu nem mesmo queria pensar nela, mas o tempo todo sentia que ela estava muito perto.

— Stevie está bem, Maggie — disse Bill Dunleavy. — Para ser sincero, ele está muito mais alegre do que seria de esperar. O triste é que ele não para de me dizer que Oscar está ótimo, que está em um lugar seguro, passando muito bem. Sinceramente, seria quase engraçado se não fosse tão triste.

Ele riu de um jeito estranho, passou as costas da mão sobre os olhos e fungou um pouco.

— Estou fazendo o melhor que posso, Meg. Estou tentando me manter focado em Stevie porque é preciso dar energia aos vivos, é o que todo mundo me diz. Na verdade, é Stevie que passa mais tempo *me* tranquilizando: "Estou bem, pai", diz ele, "Estou bem mesmo. Não precisa se preocupar."

Foi como se o pai de Oscar tivesse se esquecido de que falava com alguém, pois começou a murmurar coisas que não consegui ouvir. Seus grandes ombros se curvaram, os binóculos pendendo tristemente, fazendo uma pequena pirueta desesperada e insana na porta do cordão.

Parte de mim teve vontade de dizer para ele interromper sua busca obsessiva e ir para casa. Stevie devia estar precisando da presença do único responsável que ainda tinha. Mas outra parte de mim pensou que, se o pai de Oscar parasse de procurar, seria o ponto crítico do desespero, e eu não estava pronta para isso.

* * *

Conforme os primeiros dias das buscas se transformavam em semanas, dava para ver que a atividade frenética deixava de ser tão frenética. As pessoas agora balançavam de leve a cabeça quando iam embora de sua busca diária, e o pânico presente na voz de todos nos primeiros dias começava a diminuir. Pânico pode parecer algo ruim, mas, na verdade, contém milhares de pequenas farpas de esperança. Quando ele acaba, em geral significa que essas farpas também acabaram; até o pai de Oscar parecia ter desistido, e começou a falar do filho como se tivesse certeza de que ele estava morto.

Assim, todo mundo acabou aceitando o inaceitável. Oscar não ia voltar. Não tinha deixado nada para trás, exceto pela bicicleta. E os sapatos encharcados.

Eu desejava o tempo todo nunca ter ido naquela viagem idiota para a Nova Zelândia, porque tenho certeza de que, se não tivesse ido, Oscar estaria aqui e eu não estaria olhando para a escuridão me perguntando que diabos tinha acontecido e como as coisas tinham ficado tão ruins a ponto de ele tomar uma decisão tão terrível e desesperançada.

* * *

Praticamente um ano antes de tudo isso, meus pais tinham mencionado a viagem pela primeira vez. Eu achei que era uma ideia louca da qual eles iam falar por alguns dias e depois esquecer. Mas rapidamente o entusiasmo deles para se afastar de casa ficou mais intenso e detalhado, e logo eles não falavam de outra coisa. Pareciam completamente perplexos por eu não fazer o mesmo.

Começaram a aparecer coisas na nossa casa, como enormes pôsteres de surfistas e golfinhos e ovelhas e lugares ensolarados. Com muito estardalhaço, minha mãe os prendia na parede do escritório, *retirando* fotos minhas, o que, na minha opinião, era uma metáfora perfeita para o jeito que todo aquele plano neozelandês se intrometia na minha vida e passava por cima do plano que eu tinha, que era de ficar onde estava.

A vida já é bem difícil quando você tem 14 anos. Você não quer piorar ainda mais suas chances se afastando de tudo que é sequer vagamente familiar e sendo forçada a recomeçar em um lugar completamente diferente.

Mas, quando me dei conta, as passagens estavam compradas, os planos tinham sido feitos e papai estava monopolizando o iPad para poder falar pelo Skype com seus novos incríveis colegas de trabalho do outro lado do mundo.

Mamãe começou a guardar nossas coisas em enormes caixas de plástico com tampa. E eles colocaram um anúncio no jornal local contando ao mundo que a nossa casa estava disponível para alugar porque ficaríamos fora pelos próximos seis meses.

E então, quando só faltava uma semana, comecei a perceber coisas que nunca tinha percebido.

Também tive de empacotar: o que devia levar comigo e o que devia deixar para trás. Era estranho guardar minhas calças, casacos de moletom e botas preferidos quando deveria estar tirando-os do armário.

* * *

Houve sérias brigas na minha casa antes de irmos. Oscar disse que conseguia ouvir cada palavra por causa da mania da minha mãe de abrir todas as janelas assim que chegava o verão. Ele falou que eu estava sendo cruel e ingrata, o que, segundo ele, não tinha nada a ver com minha verdadeira personalidade. E ainda acrescentou que mal reconhecia esse meu novo eu furioso. Segundo ele, eu era uma garota estranha e difícil de entender às vezes.

Nossas casas eram tão próximas que eu e Oscar podíamos conversar pela janela do quarto. Eu me lembro do exato instante em que ele chegou no bairro. Nós dois éramos pequenos na época. A van da mudança tinha escurecido nossa cozinha ao passar, e eu espiara pela porta da frente.Foi quando o vi, já alto mesmo naquela época, pensativo e distraído. Também me lembro da primeira vez que vi Stevie, pequeno e falante em sua cadeira de rodas, e o pai deles, tirando cuidadosamente caixas gigantescas e empilhando-as no jardim da frente, mas sem dizer uma palavra e sem demonstrar nenhum traço da expectativa que você imaginaria no rosto de alguém que está se mudando para uma casa nova.

Mais tarde, eu vira Oscar novamente, dessa vez do meu quarto, sentado em sua janela olhando para o céu, com a brisa no rosto e o queixo apoiado nos braços. Havia um telescópio gigantesco bem ao seu lado, e de vez em quando Oscar olhava por ele. No começo, eu tinha fingido não vê-lo; não sei bem por quê. Mais tarde, ele quebrou um galho seco da cerejeira que ficava imprensada entre nossas casas e bateu na minha janela. Quando eu abri, ele disse "oi" e ficou sorrindo para mim.

Oscar tinha um sorriso franco, feliz e com covinhas. Era uma das centenas de coisas incríveis nele.

E depois disso nos tornamos melhores amigos. Tinha sido tudo tão simples e inevitável, como acender um fósforo.

* * *

Ele ia à minha casa toda hora para ficarmos de bobeira. Um dia, nos sentamos debaixo da mesa da cozinha da minha casa e entalhamos nossos nomes ali, onde ninguém conseguiria ver. E dali em diante aquela mesa passou a ser especial porque tinha nosso segredo sob o tampo.

Você não percebe que está crescendo, mas, um dia, mais cedo ou mais tarde, ficar sentado embaixo da mesa simplesmente deixa de ser confortável. Quando chegamos à idade de ter permissão para sair sozinhos, o primeiro lugar a que íamos era o porto, para jogar pedras na água. Cada um jogava de uma vez, para vermos quem conseguia fazer sua pedra quicar mais longe. Eu sempre ganhava, mas ele não se importava.

— Todo mundo tem suas habilidades especiais — dizia ele. — E por acaso uma das suas é ter um forte senso intuitivo de aerodinâmica e condições de contato de pedras da praia em forma de disco.

Quase sempre ele me fazia rir com seu jeito de falar e com as coisas que dizia.

Nós nos sentávamos nas nossas janelas, tarde da noite, no final de cada dia. Ele era diferente de todo mundo que já havia passado pela minha vida, e enquanto eu tinha Oscar como amigo, nada era irritante ou complicado. Tudo era simples, agradável e divertido. Tudo fazia sentido.

Agora não me lembro de quem tirou nossa foto, mas a tenho no meu quarto há anos. Estávamos inclinados para fora das nossas janelas e ríamos um do outro com uma alegria mais pura que qualquer sorriso educado que você se acostuma a dar quando fica mais velho. Aquela foto tem o tipo de sorriso verdadeiro que aparece quando você está olhando direto para o rosto de alguém que é seu melhor amigo há muito tempo.

* * *

Durante as semanas que antecederam a viagem, nossas conversas ganharam um tom triste. Eu me sentava na minha janela, fungando, enquanto Oscar se sentava na dele, olhando para mim com a testa franzida de um jeito carinhoso. Ele tinha a mania de balançar as pernas de um lado para o outro enquanto se segurava com as mãos na moldura da janela. Eu mesma criara o hábito de arrancar o reboco solto da parede externa. Era uma espécie de rebelião insignificante, minha reação ressentida por me sentir triste e incompreendida.

As noites anteriores à minha partida foram as mais quentes de que tenho lembrança. Mas, na nossa cidade, até nas noites de verão mais paradas o frio nunca estava distante.

Eu contei a ele que não queria ir, que meus pais estavam me privando do direito humano mais fundamental ao me obrigar a fazer algo que era completamente contra a minha vontade. Contei os pesadelos que tinha por causa do trabalho gigantesco e difícil que seria conhecer um monte de gente da Nova Zelândia, que já tinha amigos e não estava procurando uma nova amiga branquela, ruiva e sardenta da Irlanda.

Embora Oscar Dunleavy fosse meu amigo, ele não concordava automaticamente com tudo o que eu dizia, nem acreditava nas coisas que eu acreditava. E, com relação à viagem, ele estava definitivamente do lado dos meus pais. Ele me disse que eu devia aproveitar, ou seja, exatamente o que minha mãe e meu pai falavam desde o começo. Aproveitar, segundo ele, era o único jeito de lidar com uma oportunidade como a que estavam me dando de bandeja.

— Não tem motivo para você estar reclamando — disse ele, ressaltando que eu ia passar metade de um ano em um lugar incrível e diferente, e ressaltando que eu ia morar em uma casa com piscina no jardim e um lago fantástico por perto, rodeado de montanhas. Ele falou que, se eu agisse de forma mal-humorada por causa de uma viagem como aquela, as pessoas ficariam com inveja de mim, pensariam que eu não estava dando valor a algo que quase ninguém tinha a chance de fazer, isto é, fugir da vida que tem e experimentar outra completamente nova por um tempo.

Segundo ele, podia dar muito azar ter um olho grande de ressentimento me seguindo por aí enquanto eu estivesse me acostumando a um país totalmente diferente.

Tentei explicar que o sol ia ser perigoso e implacável e que, comparada ao povo da Nova Zelândia, eu seria tão branca que todo mundo ia presumir que eu tinha alguma doença séria ou deficiência de pigmentação. Com certeza eu seria taxada de aberração e ninguém ia querer falar comigo.

— Eles vão ficar *loucos* para falar com você — disse ele. — Ninguém vai achar que tem nada de errado com você. Vai ser exótica, fascinante, e basicamente a população inteira vai querer ser sua amiga. Além disso, já inventaram coisas para climas quentes, sabe, como protetor solar. Ar-condicionado. Camisetas. Meg, todo problema tem uma solução. O que você está fazendo agora é procurar motivos para não ir.

Ele me disse que em poucas semanas eu teria esquecido minha relutância em relação à viagem e estaria enchendo minha página do Facebook com fotos de beleza sorridente e ensolarada.

Enquanto isso, ali, lembrou ele, o inverno irlandês estaria se esgueirando sobre todos. As manhãs começariam a ficar cada vez mais frias e escuras, e acordar para a aula seria a atividade deprimente que ambos conhecíamos bem. No final do outono, todo mundo estaria batendo os dentes, com as mãos duras como garras no guidão das bicicletas por causa da chuva gelada caindo de muito alto.

— Quantas pessoas você conhece que já tiveram a oportunidade de fazer uma expedição ensolarada a uma nova terra com praias de areia branca, festas ao ar livre e aulas de surfe?

Continuei fazendo o máximo possível para tentar pensar que ele estava certo. Mas, durante as semanas que antecederam minha partida, senti uma raiva que se infiltrava em quase tudo. Meus pais não tinham tido a decência de me perguntar, nem mesmo por curiosidade, se a viagem era algo em que eu estava interessada. Eu não conseguia parar de pensar nisso, e de remoer isso, o que azedou o ar ao meu redor.

Eu queria uma discussão madura, que teria incluído dizer aos meus pais (porque obviamente eles não haviam percebido) que eu não tinha nascido para a Nova Zelândia, com meu amor por climas temperados e minha tendência a virar um camarão ao sol.

* * *

Oscar me disse muita coisa da sua janela naquelas semanas antes da partida. Ele disse que ia sentir muitas saudades de mim. Disse que tinha um monte de informações sobre a Nova Zelândia que iam ser muito úteis, e que me mandaria tudo por e-mail assim que eu chegasse.

Eu também queria dizer um monte de coisas para ele. Coisas que tinham gradualmente se tornado mais claras pouco antes da partida. Mas, às vezes, as coisas que você mais quer dizer são as que, por algum motivo, geram mais dificuldade.

E também tinha as coisas que os meus pais não *paravam* de dizer, como: "Meg, milhares de crianças ficariam muito *felizes* por ter uma oportunidade como esta." E: "Não estamos entendendo por que você está sendo tão difícil."

Eu fui à casa de Oscar, Stevie e do pai deles, e eles disseram que nada seria igual sem mim, e Stevie ficou girando a cadeira. Disse que estava fazendo um campo de força que me impediria de ir, mas seu pai falou que ele estava deixando todo mundo tonto.

* * *

Quando você precisa se sentir positivo e animado com alguma coisa que o está preenchendo de um medo intenso, acaba ficando quieto. Acaba não querendo falar com as pessoas. Acaba desejando poder pedir a todo mundo para ir embora e deixar você em paz.

Meus pais tinham começado a implorar.

— Por favor, Meg — diziam eles, quando eu me jogava no sofá em um estupor indiferente que só acontece como uma pessoa triste e insegura, como eu me sentia.

— Você poderia por favor se esforçar para não ficar tão quieta e mal-humorada?

Aos poucos, eles desistiram, como fazem as pessoas racionais quando implorar não gera nenhum resultado. Então também ficaram quietos e mal-humorados. Começaram a falar da viagem como se fosse uma provação inevitável. Tinham perdido a animação do começo. Falavam sobre os preparativos em sussurros, como se estivessem compartilhando a notícia de uma doença repentina ou de alguma conta caríssima que não esperavam. Em pouco tempo, parecia que algo horrível ia acontecer.

Eu me sentia culpada. Tinha infectado a casa com mau humor. A expectativa da viagem dos sonhos dos meus pais fora drenada de alegria, e a culpa era minha.

O mundo inteiro parecia tenso e triste. E provavelmente teria continuado assim. Se não fosse pelo Oscar.

* * *

Eu e Oscar nunca nos cansávamos de conversar um com o outro na janela. Quando éramos mais novos, adquirimos o hábito de contar várias coisas muito pessoais. Nossas aulas favoritas. Nossas cores prediletas. O que queríamos ser quando crescêssemos (eu: maquinista de trem; ele: o homem do trampolim). Eu nunca perguntei exatamente o que era um homem do trampolim. Deveria ter perguntado, mas nunca o fiz. Tem muitas coisas que eu deveria ter perguntado a ele.

Eu não conseguia parar de pensar na época em que éramos pequenos, e de me lembrar de nós dois sentados ali, encolhidos e furtivos, com o queixo sobre o cotovelo, conversando por horas sobre as coisas importantes que crianças pequenas precisam conversar, como quando ia nevar, o que íamos ganhar de Natal ou quando seria a próxima ida ao zoológico.

No começo, nossos pais disseram que não podíamos ficar ali porque achavam que ficar para fora da janela era extremamente perigoso. Sempre gritavam para voltarmos para dentro, dar boa-noite e ir dormir. Mas, depois de um tempo, desistiram de se preocupar. Aquilo se tornou a coisa que sempre fazíamos. Nunca caímos. Eles nos compraram telefones quando tínhamos 11 anos, dizendo: "Agora vocês podem conversar sempre que quiserem." Acharam que ficaríamos animadíssimos, mas não ficamos. Ficamos horrorizados. Não precisávamos de telefones enquanto morássemos lado a lado. Oscar manteve o mesmo galho velho da cerejeira guardado em seu quarto, recusando-se a deixar qualquer pessoa levá-lo embora, e toda noite eu esperava por aquela arranhada na janela. Era o melhor som do mundo.

* * *

Outra característica de Oscar era não ter medo de ninguém. E ele sempre tomava as próprias decisões, independentemente do que os outros falassem. Essas são duas das melhores coisas de que eu me lembro sobre ele.

Ele não era apenas meu amigo. Era meio mágico. Não consigo explicar melhor que isso. Ele era honesto, decente e estava sempre alegre. E, ainda que seu irmão Stevie precisasse usar uma cadeira de rodas, isso não era um problema como as pessoas normalmente acham que é, porque Oscar sempre se certificava de que todas as portas estivessem abertas, todas as escadas possuíssem uma rampa e toda estação de trem tivesse acesso para ele entrar. Dizia que, se o mundo fosse planejado direito, a população inteira estaria disparando por aí em cadeiras de rodas. Steve ria quando o irmão dizia isso.

* * *

O hobbie de Oscar era salvar pessoas. Ele sempre salvava pessoas, consertava coisas quebradas e segurava alguém que estivesse prestes a cair. Não era uma habilidade que você visse ou percebesse imediatamente. Stevie dizia que o irmão tinha um dom, que era conseguir *farejar* coisas que você não nem imaginaria que tinham cheiro, como tristeza e desespero. Como medo e falta de esperança.

Ele nunca fazia alarde disso, mas era quieto e confiante — e quando você acredita nas próprias habilidades, é muito mais provável que esteja sempre pronto a usá-las, o que Oscar sempre estava. Quando eu perguntava, ele dizia que suas habilidades não eram nem um pouco excepcionais ou extraordinárias. Para ele, todo mundo era capaz de perceber quando alguém precisa de ajuda, mas poucos realmente se dão ao trabalho de ouvir seus instintos, e essa era a única diferença entre ele e muitas outras pessoas.

Essa não era a única coisa diferente nele. Oscar costumava fazer tortas de maçã. Eu nunca achei que elas tinham nada de especial até uma noite, pouco antes da minha partida.

Ainda penso nisso, mesmo quando tento não pensar.

A QUARTA FATIA

Quem mora no litoral acaba se acostumando com os milhares de sons do mar: estrondoso em um dia, obrigando você a tapar os ouvidos, e no outro batendo contra as rochas com o ruído de gigantes chapinhando. Às vezes estourando, às vezes ondulando, outras tamborilando. O litoral é um lugar temperamental. Cada dia é diferente. Nada nunca é igual.

Era uma meia-noite de verão. O ar estava quente e abafado, e o mar, quieto, mas finas correntes geladas se esgueiravam da sua superfície, serpeando pelo ar morno, como sempre faziam na nossa cidade, até no clima mais quente.

A lua tremulava com um brilho prateado, como se estivesse respirando, e Meg Molony estava sentada, extremamente espetacular, em sua janela, com o rosto lindo salpicado de sardas, arrancando pedaços de reboco da parede com as mãos e olhando para a noite.

Eu estivera ocupado naquela noite por causa de um dos meus pressentimentos.

— Você andou fazendo tortas de maçã de novo? — perguntou ela, franzindo a testa e sorrindo ao mesmo tempo.

— Para ser sincero, sim, era exatamente isso que eu estava fazendo. Como você soube?

Ela apontou para o meu cabelo. Balancei a cabeça, e a nuvem de farinha branca que se ergueu nos fez rir.

Tentei explicar outra vez meu hábito de fazer tortas de maçã. Algumas pessoas sabem, pela sensação que têm nos ossos, se o tempo vai mudar. Algumas pessoas sabem dizer quando há água no subsolo. Minha habilidade era farejar coisas no ar, coisas pesadas cheias de ansiedade. Esses cheiros eram meu sinal para começar a fazer tortas.

Ela disse que, sempre que eu tocava no assunto das tortas de maçã, falava de um jeito que fazia aquilo parecer lógico e normal, embora na verdade não fosse.

E, bem naquela hora, como esperado, eu senti. Tive de me endireitar, me inclinar mais para fora da janela e fazer Meg se calar.

— Espere um minuto, Meg — pedi.

— O que foi, Oscar, o que aconteceu? — indagou ela.

Precisei ficar quieto, então peguei o telescópio e olhei para além das nossas casas em direção ao píer. Ouvi algo que ninguém mais conseguia ouvir, e vi algo que ninguém mais conseguia ver.

Meg também estava fazendo tudo o que podia, ouvindo comigo com muita atenção enquanto sua cortina branca oscilava languidamente a sua volta, como um pequeno fantasma cansado.

Passou-se mais ou menos um minuto.

— Acho que tem alguém lá — sussurrei.

Os olhos da Meg estavam arregalados, e, pela sua postura, percebi que ela queria participar de tudo.

— Senti o cheiro, Meg, está bem forte agora.

— Não estou sentindo nada — disse ela.

— Se você se concentrar um pouco mais, provavelmente vai sentir.

Ela se concentrou, porém não fez a menor diferença.

— Tem cheiro de quê? — perguntou.

— Cheiro de alguém em dificuldades; repleto de desespero. Pior que medo... muito mais destrutivo. Lá no píer. Preciso ir.

Peguei um cobertor e enfiei na mochila. Uma das minhas tortas de maçã estava a postos em uma caixa de cartolina branca, e tive de segurá-la como um garçom levando uma bandeja. Foi um milagre ela ter ficado inteira enquanto eu pulava para fora da janela e descia pela árvore. Eu vinha treinando, e obviamente tinha começado a dar resultados.

— Ai — falei algumas vezes antes de chegar ao chão. Precisei dar uns pulinhos ao redor, esfregando o cotovelo e ainda equilibrando a torta enquanto Meg me perguntava se eu estava bem. Respondi que estava ótimo.

Minha bicicleta brilhava no portão.

— Tem um homem lá, Meggy. Ele está na beira do mar. Alguém precisa salvá-lo antes que seja tarde demais.

— Um homem? Sozinho? Na beira do mar à meia-noite? O que isso tem a ver com você?

Não sei por que, mas eu nunca me preocupava se algo era da minha conta ou não.

Meg comentou como era incrível ser minha melhor amiga. Mas como também era exaustivo.

— Você vai mesmo? Agora? A esta hora da noite?

— Meg, você não me ouviu? Uma pessoa precisa de ajuda.

— Como você sabe? Talvez ele esteja bem. Não seria minimamente possível que, seja quem for, ele queira ficar sozinho?

— É. Possível. Mas meus instintos dizem o contrário.

— Posso ir com você, então?

— Pode, se quiser — falei. — Mas não se esqueça de que o tempo pode estar acabando.

No final das contas, eu estava certo. Era um homem. Lá na ponta, olhando para a escuridão cintilante bem ao lado da escada enferrujada e cheia de cracas que subia da parte funda do píer.

Ele parecia muito velho. Um cachorrinho magro trotava nervosamente de um lado para o outro, olhando a água, depois o homem, e aí voltando a olhar a água. Perto do muro havia um cobertor caído, cheio de furos, e duas sacolas tristes e amassadas, encolhidas juntas como pessoas assustadas. O homem era um labirinto de rugas, e suas mãos estavam sujas. Lágrimas deixavam rastros brilhantes no formato de galhos em suas bochechas.

Com a voz mais delicada que consegui, perguntei como ele estava.

— Ah, pobre de mim — respondeu. — Você poderia levar o meu cachorro, por favor? — Ele não olhou para nós. Continuou olhando para a água como se estivesse perdido algo ali. — Eu deixei Homer a salvo, longe do mar — continuou ele. — Já tinha escrito para a Sociedade Protetora dos Animais, e ele ia ficar ótimo, mas o tonto me seguiu até aqui e não consigo convencê-lo a ir embora.

O cachorro sentou-se, inseguro, ao lado do homem. A voz dele era monótona, meio distante e inesperadamente sofisticada.

— Esse cachorro não tem jeito, mas sempre teve uma capacidade ímpar de farejar. Ele me encontrou aqui e é um ótimo garoto... não é Homer? Mas, sabe... neste momento, eu preferiria ficar sozinho.

Eu me ajoelhei no granito irregular. Homer se aproximou de mim, deu algumas longas farejadas e deve ter concluído que eu era legal e digno de confiança, porque apoiou o queixo no meu joelho por alguns segundos antes de voltar a seu trote nervoso.

— Eu levo o cachorro? — sussurrou Meg, e percebi que estava fazendo de tudo para ser útil.

— Não, Meggy, o cachorro fica — sussurrei em resposta.

Naquele momento eu soube que o que tinha para dizer a ele era importante, então pensei um pouco a respeito e então, o mais clara e vagarosamente que pude, comecei.

— Eu sei o que você pode estar pensando aqui sozinho, mas essas ideias não vão durar para sempre — garanti. — Você não vai se sentir sempre assim. Vai passar. Homer vai estar aqui do seu lado, o sol vai nascer, e você vai reencontrar suas razões, as que você acha que perdeu. Não é verdade, Meg? — falei, voltando-me para ela enquanto os sinais de uma nova manhã de verão começavam a sussurrar e farfalhar, e os pássaros, a cantar.

O homem nos disse que seu nome era Barney. Barney Brittle. Ele colocou a cabeça entre as mãos e falou com uma voz baixa e exausta.

— Meninos, vocês dois são muito gentis, mas, por favor, levem meu cachorro e me deixem. Prefiro que voltem para casa, obrigado. Isto não lhes diz respeito. Eu gostaria de ser deixado em paz. — Ninguém se moveu pelo que pareceu ser um bom tempo.

Eu sabia que estava na hora. Vasculhei na mochila e peguei a caixa de cartolina branca, tirando-a com toda a delicadeza, porque tortas de maçã são frágeis e aquela era importante. Eu a entreguei a Barney.

— Aqui — mostrei. — Eu fiz esta torta para você.

Barney ergueu a cabeça e olhou para mim, que lhe oferecia a caixa.

— Como diabos você pode ter feito algo para mim? Acabou de me conhecer.

De repente, os olhos dele cintilaram com algo mais brilhante e mais curioso do que se esperaria no rosto de um velho naquele momento.

Ele pegou uma fatia, segurou-a perto do rosto, fechou os olhos e inspirou profundamente.

— Devo admitir que está com um cheiro bem bom — disse ele.

— Bem bom? — ralhei em uma falsa voz ofendida, tentando amenizar um pouco o clima. — Hmm, acho que você vai descobrir que ela é um pouco melhor que "bem bom".

— Ah, vou mesmo? — perguntou o homem, mas dava para ver que ele estava se animando com a torta de maçã, e conosco.

Barney deu uma mordida, fechou os olhos e, depois de um ou dois minutos, falou:

— Isto, minha nossa, isto é impressionante.

— Viu? — falei, e comecei a me sentir aliviado, orgulhoso e feliz.

— Meu Deus — disse Barney. — Você fez essa torta sozinho mesmo? Não como algo assim desde que, desde que... Nunca comi nada assim. Isto é... ora, é *sublime*.

— Eu sei.

O humor do Homer tinha mudado completamente, e ele estava fora de si com o tipo de alegria que cachorros comunicam balançando o corpo inteiro e correndo de um lado para o outro entre as pernas das pessoas.

Meg e eu também comemos uma fatia, e até demos um pouco para Homer. Ficamos ali mastigando e sorrindo, com aquela sensação reconfortante que às vezes acontece quando não há necessidade de conversar.

Vindo da ilha, um raio solitário de sol se despejou sobre o mar, e tudo foi coberto por um brilho dourado. Olhei o meu telefone. Tínhamos ficado ali horas a mais do que parecia. Eu seria totalmente assassinado se meu pai descobrisse que eu não estava na cama, muito menos em casa, e sim no píer, conversando com estranhos e comendo torta.

— Leve o resto para casa com você — falei para Barney. — É sua.

— Ah, meu rapaz, muitíssimo obrigado. Acho mesmo que vou embora. E desconfio que já passou muito da hora de vocês dois voltarem para debaixo das cobertas. Sinto que já os mantive acordados o bastante nesta madrugada.

Apertamos a mão dele e sorrimos uns para os outros.

— Você vai ficar bem — garanti para ele.

— Sim, sim, de fato. Acho que ficarei — respondeu ele.

Meg e eu pegamos nossas bicicletas e nos dirigimos para a estrada.

Na volta, eu a fiz usar meus sapatos, que eram grandes demais para ela.

— Oscar, alguém já disse como você é estranho?

— Já. Você. Praticamente todo dia.

— Bom, porque você é.

— Isso me torna mais adorável, não é? Admita — falei, empurrando-a de leve com o ombro.

— É, sim, claro — disse ela.

Voltamos para nossas casas e acenamos um para o outro do quarto.

— O que vou fazer sem você, Oscar?

— Vai ficar tudo bem — respondi. — Provavelmente você precisa de um tempo longe de mim. Eu sou um porre. Sempre diz isso.

— É verdade — disse ela. — Vai ser ótimo me livrar de você por uns meses. Oscar, mas sério.

— O quê?

— Mantenha contato, está bem? Por favor?

— Claro que sim.

— Promete?

— Sim, prometo.

— Que bom, porque vou sentir muitas saudades de você.

A QUINTA FATIA

Era difícil acompanhar Oscar. Por exemplo,na noite em que conhecemos Barney. Em um minuto, ele estava sentado na janela, balançando as pernas como de costume, e no seguinte estava se jogando dali e descendo a cerejeira como um trapezista, armado com uma torta de maçã. Aí desapareceu, um risco prateado na noite, formando um círculo borrado com os pés.

"Ah, droga", pensei, colocando o moletom com capuz, abrindo completamente a janela e pulando na árvore, como Oscar fizera. E, assim como ele, eu praticamente caí, mas os galhos amorteceram minha queda. Eu me levantei depressa e fui na ponta dos pés até a garagem cuja porta rangeu de forma agoniante quando a abri para pegar minha bicicleta, torcendo para meus pais não acordarem.

— Oscar — chamei em voz baixa. Eu conseguia vê-lo, já distante, um clarão de luz oscilando levemente ao longe como se estivesse flutuando em um mar agitado. — Oscar, Oscar, Oscar — sussurrei de novo, indo o mais rápido que podia na direção do píer. É algo que me acostumei a fazer: sussurrar seu nome em minha mente, sem parar.

* * *

— É uma torta de maçã — disse solenemente Oscar a Barney naquela noite, como se fosse a resposta para tudo, e como se contivesse um milhão de explicações. — Mas não é uma torta de maçã qualquer. É a torta de maçã da esperança. Depois que você der uma mordida, o mundo vai parecer quase completamente diferente. As coisas vão começar a mudar, e depois que tiver comido uma fatia inteira, você vai perceber que tudo vai ficar bem.

E quando Barney comeu o primeiro pedaço, seu rosto mudou. Não tenho certeza de que havia algo mágico naquelas tortas, mas posso dizer que o sabor era incrível.

— Fique de olho no Homer que eu vou ter uma conversinha com Barney — sussurrou Oscar para mim.

Eu chamei o cachorro e fiquei fazendo carinho nele enquanto Oscar e Barney conversavam. Mesmo sem conseguir ouvir tudo o que diziam, depois de um tempo os ouvi rindo. A risada de Oscar ecoou até mim e depois flutuou sobre o mar, seguida pela gargalhada baixa e ofegante do velho, que parecia ser de alívio ou liberdade. Pelo menos era um som surpreendentemente alegre, que me fez sentir algo que não conseguia definir com precisão: algo reconfortante, eu acho. Uma coisa boa e calorosa, que tanto era conveniente quanto agradável, considerando que eu estava descalça, perguntando-me por que estava ali, afinal de contas, com a barra da calça do pijama enlameada e úmida.

* * *

— Sem querer ofender, mas eu não esperava que ele tivesse uma voz tão bonita — falei, depois que nos despedimos de Barney e estávamos a caminho de volta para casa.

— Talvez seja porque você nunca conversou com muita gente como ele.

Eu nunca tinha *conhecido* ninguém como Barney.

Era assim quando eu estava com Oscar; sempre fazendo algo novo. Pensando de um jeito original. Conhecendo alguém diferente.

* * *

Oscar agia como se sua estratégia da torta de maçã fosse a coisa mais normal e corriqueira do mundo. Ele não parecia notar que era fora do comum. Se qualquer outra pessoa do mundo *tivesse* pensado em fazer uma torta de maçã do zero, e se pelo mesmo milagre salvasse outro ser humano como Oscar acabara de fazer, provavelmente estaria triunfante ou no mínimo meio convencida e satisfeita consigo mesma. Mas Oscar mantinha sua mesma expressão singela.

E, naquela noite, deitada na minha cama, pensei na viagem à Nova Zelândia, em como estava próxima e no quanto eu deveria estar animada, e me perguntei por que estava tão desesperada para não ir.

A verdade desabou sobre mim como um saco molenga de marshmallow cheio de coisas meigas, doces e simples. A sensação foi colorida, clara, delicada e repleta de certeza, e me esmurrou suavemente por dentro e por fora, até que eu entendi. Entendi as dificuldades que estava tendo com meus pais e por que uma aventura longe de Oscar parecia algo tão terrível.

Eu não queria deixá-lo. Não queria sentar perto de uma nova janela em uma casa estranha de um país estrangeiro e não poder falar com ele. Oscar era o motivo. Era por causa dele que eu queria ficar.

* * *

A data da nossa partida ficou ainda mais próxima, claro, e, como não podemos deter as coisas, ela chegou. Era muito cedo, e eu ainda estava na cama, torcendo para algum desastre impedir nossa mudança quando ouvi a batidinha familiar de Oscar na janela.

Rolei para fora da cama com um baque e cambaleei até a janela, preparando-me para dizer o adeus que não queria dizer. Oscar não estava lá. Em vez dele, havia uma mancha irregular de condensação na janela, como se alguém tivesse respirado no vidro, e, quando a abri, a primeira coisa que senti foi uma leve rajada familiar de ar quente e doce com cheiro de canela bater no meu rosto. Uma corda com duas roldanas fora colocada entre as nossas casas.

E, oscilando levemente em uma pequena prateleira suspensa, em uma caixa da mesma cartolina branca que eu o vira carregar para o píer naquela noite, estava uma das tortas de maçã de Oscar. Em massa dourada, uma letra M aparecia bem no meio, com um minúsculo avião de massa com nuvens de massa ao redor e uma carinha sorridente. Um cheiro especial me cercou, aquele que sentimos quando manteiga, açúcar e especiarias são combinados e assados em um forno quente.

Eu ouvia minha mãe subindo e descendo a escada correndo. Ouvia a voz do meu pai, tensa e irritada. O telefone não parava de tocar, e meus pais não paravam de gritar para o outro atender. O ar crepitava com uma energia irritada que surge quando as pessoas são bombardeadas por uma campanha implacável de resistência e estão cheias de incerteza em relação a uma grande decisão que tomaram e da qual é tarde demais para desistir.

Tirei a torta de sua pequena prateleira instável e a puxei para dentro, levando-a lá para baixo e colocando-a na mesa da cozinha.

— De onde veio isso? — perguntou minha mãe, parando de repente e olhando a massa estufada e dourada.

— Oscar — falei, como se explicasse tudo. Quando meu pai viu o M, as nuvens, o avião e a carinha sorridente, ele também sorriu.

E em uma série de movimentos encantados em câmera lenta, nós três nos preparamos para comer a torta. Meu pai tirou três pratos do armário, coloquei a chaleira no fogo para fazer um chá, e minha mãe procurou uma faca. Com cuidado, ela colocou uma doce fatia quebradiça feita de maçã diante de cada um de nós.

Uma nova sensação recaiu sobre a cozinha, uma que não tinha nenhum ressentimento ou estresse. E, enquanto a torta derretia na nossa boca, outras coisas também pareceram derreter, como apreensões, dúvidas e as coisas que haviam nos deixado tão mal-humorados e introvertidos.

As sombras de nossas incertezas pareceram desaparecer.

Sei que isso deve parecer meio estranho, mas depois que cada um de nós deu algumas garfadas, de uma hora para a outra, tudo ficou diferente.

Algo bom e sem preconceitos começou a acordar dentro da minha cabeça, e até eu me surpreendi ao fazer um curto discurso sobre o quanto admirava o espírito aventureiro dos meus pais, como estava decidida a fazer aquela viagem valer a pena para todos nós e como ia tentar ter muito mais boa vontade em relação àquilo tudo.

Minha mãe e meu pai se entreolharam, depois se voltaram para mim e disseram o quanto aquela atitude era ótima, madura e decente. Então os dois me deram um caloroso e doce abraço de torta de maçã.

— Sinceramente — disse minha mãe mais tarde —, você conhece algum outro adolescente no mundo que se esforçaria tanto para fazer algo assim, que teria percebido como temos estado ocupados e nervosos e há quanto tempo não comemos nada feito em casa? Isto está tão delicioso! Ele mesmo deve ter preparado a massa. É realmente extraordinário. E tão atencioso, delicado, com enfeites cuidadosamente cortados em cima! De fato, não existe mesmo ninguém como ele.

— Não — concordei. — Não existe.

Depois disso, a preparação para a partida deixou de ser uma grande tarefa negativa e começou a parecer mais uma comemoração.

— Não se esqueça de agradecer a Oscar por aquela torta — reforçou minha mãe, com uma expressão gentil, perplexa e feliz, enquanto meu pai assentia distraído ao fundo.

— OK, pode deixar.

* * *

Quem teria imaginado que algo tão específico, tão definido, tão cheio de manteiga e açúcar seria a resposta para os meus medos? No final das contas, a torta de Oscar foi a solução. Uma coisa tão simples.

Oscar disse que, já que eu tinha aderido à viagem, ia ser ainda melhor do que ele previra. Assim que eu chegasse, tudo seria instantaneamente fantástico: eu ia me divertir muito, e tudo ia dar perfeitamente certo.

Mas com essas sensações calorosas também havia outra coisa. Aquilo que vinha me atormentando inchou dentro de mim de novo, e não consegui mais mantê-la em segredo, o que em geral indica um momento, como descobri, em que é importante escrever.

Querido Oscar,

Não sei como dizer isso de outro jeito, mas, sabe, preciso explicar uma coisa. Não consigo parar de pensar naquela noite em que você salvou Barney com a sua torta, e no quanto você sempre foi bondoso e gentil. Só hoje de manhã, quando você me mandou a minha torta de maçã, finalmente me dei conta do que preciso dizer.

O momento não poderia ser pior, mas, sabe, o motivo pelo qual eu não queria ir embora é porque queria ficar aqui, e o motivo pelo qual queria ficar aqui é você.

Não tenho nada contra a Nova Zelândia, não, mas por causa do que sinto, especificamente por você, o mundo inteiro parece diferente.

Não sei se é porque tudo ficou mais escuro ou mais claro. Acho que depende do que você sente por mim, que, espero, seja o mesmo.

Enfim, sabe, você me convenceu de que eu devo, como você diz, "aproveitar a aventura". Então é isso o que resolvi fazer. Foi o sabor da sua torta de maçã que finalmente me fez decidir entrar de cabeça nessa. Mas preciso saber que você vai estar aqui quando eu voltar.

Eu amo você, Oscar Dunleavy.

Comecei a me apaixonar por você no dia em que nos conhecemos.

Preciso saber se sente o mesmo. Mande um sinal. Qualquer coisa serve.

Com amor,

Meg

Espalmei a mão sobre o papel e pensei por um instante insano que iria até a casa dele e o deixaria na caixa de correio. Eu me perguntei sobre as possíveis coisas que Oscar diria, pensaria ou faria se eu tivesse a coragem de enviá-la.

Não enviei a carta porque tive medo. Tive medo de que ele risse de mim. Tive medo de que aquilo que eu tinha escrito parecesse ridiculamente idiota. Tive medo de que aquela carta destruísse algo que eu e Oscar já tínhamos. Tive medo de que ele não sentisse... que ele nunca fosse sentir o mesmo. Então, embora tivesse colocado a carta dentro de um envelope, embora tivesse escrito "Para Oscar Dunleavy" na frente e embora por um tempo tivesse pensado em correr até a casa vizinha, bem naquela hora, no meio da noite, para postá-la, no final das contas, não fui.

Em vez disso, fiquei revirando aquela carta entre as mãos até deixá-la toda amassada, depois a alisei outra vez e a enfiei sob o colchão, um lugar macio, silencioso e abafado que ninguém vê.

A SEXTA FATIA

Quando Meg foi para a Nova Zelândia, eu sentia saudades dela o tempo todo. Olhava para sua janela, e, quando via o quarto, vazio e desocupado, algo dentro de mim se retorcia, como uma dor. Eu tinha me acostumado tanto a ver o rosto dela que não vê-lo causava uma sensação estranha, triste e meio sem esperança.

Então, quando Paloma Killealy se mudou… claro que ela não era Meg e nunca poderia substituí-la nem nada do tipo... mas achei que seria uma pessoa que eu poderia conhecer e, no final das contas, ela achou o mesmo, e na minha opinião isso foi muito bom. Na época.

* * *

Na semana em que Paloma chegou, estava acontecendo o Energiser, e no dia anterior, na escola, na frente de um monte de gente, incluindo Andy e Greg, Paloma me perguntou se eu queria ir com ela.

Estava na cara que ela não tinha a menor ideia de como o Energiser funcionava, porque é um evento que acontece algumas vezes por ano em um grande galpão fora da cidade, cercado por campos.

Lá, você passa a noite inteira gritando com os seus amigos para eles conseguirem ouvir, e vê gente como Andy e Greg beijando garotas. É só isso que acontece. Para ser sincero, é meio chato, mas todo mundo vai, não sei muito bem por quê.

Mas uma coisa que eu sei é que ninguém "vai com" ninguém para o Energiser. Não é assim que funciona. Eu expliquei isso a Paloma, que disse:

— Ah, tudo bem, entendi, beleza então — disse ela, saindo do pátio, o cabelo balançando de um lado para o outro.

— Oscar, cara, você está *louco*? Está na cara que ela está a fim de você, e você já *olhou* pra ela? — disseram Andy e Greg.

Segundo eles, nunca houve na nossa escola uma menina tão gata quanto ela em toda a sua história, desde que fora fundada, em 1968.

— Ela está se *oferecendo* de bandeja. O que se passa dentro da sua cabecinha, amigo? — perguntou Greg, me segurando em um daqueles mata-leões que ele e Andy adoravam.

* * *

Paloma acabou descobrindo nossas janelas, como tinha acontecido comigo e com Meg, e não demorou até começarmos a conversar. Era estranho, mas Paloma era legal do seu jeito, e era bom ver alguém ali naquele local. Além disso, ela não tinha ideia de como as coisas funcionavam na nossa escola, então essa era uma oportunidade de explicar.

— Desculpe se eu o envergonhei na frente dos seus amigos — disse ela.

Eu falei que estava tudo bem.

— Aqui é tudo muito diferente do que eu estava acostumada. Estou demorando para me adaptar — explicou ela. — No lugar onde eu morava antes, tínhamos bailes escolares e os garotos convidavam as garotas.

— Ah, sim, entendi — falei, e disse que ela não precisava se desculpar e que era totalmente compreensível presumir que aqui seria igual.

— Eu tenho uma pergunta para você, Oscar — disse ela, inclinando-se para fora da janela da Meg enquanto enrolava o cabelo nos dedos longos e abria e fechava os olhos vagarosamente.

— Tudo bem, diga — pedi.

— Estou curiosa. Quero dizer, eu fiquei me perguntando... se os garotos de fato *levassem* as garotas ao Energiser, digo... se *funcionasse* assim, sabe, eu queria saber se *aí*, nesse caso, você estaria interessado em me levar.

Logo de cara percebi aonde ela queria chegar. Paloma passou a mão pelo braço, inclinou a cabeça para o lado e me olhou com seus olhos úmidos e brilhantes. E ela era mesmo linda.

Na hora pensei que Paloma Killealy estava claramente interessada em mim, o que era uma sensação boa, sobretudo considerando que quase todos os garotos da minha turma falavam dela desde sua chegada. Na escola, as pessoas suspiravam quando ela passava, e cheiravam o ar que ela atravessava. Andy e Greg, inclusive, tinham se tornado meio obcecados por ela. Não paravam de me fazer perguntas sobre como era ser vizinho dela.

Poderia ter sido a coisa mais lisonjeira que já me acontecera. Mas não é só porque uma garota maravilhosa está interessada que você deve mudar seus planos.

— Paloma, é muito legal da sua parte me fazer uma pergunta como essa. Fico muito feliz.

Mas depois falei que ia contar a ela algo que nunca tinha contado a ninguém e a fiz prometer guardar segredo. Ela disse que prometia, claro, e sua expressão ficou tão séria e confiável quanto você poderia imaginar.

— Sabe, tem uma garota. O nome dela é Meg. Ela morava no quarto em que você está agora, e, quando você se mudar, ela vai voltar, e, sabe, eu penso nela na maior parte do tempo. Penso no que ela está fazendo. Eu me pergunto no que ela está pensando. Se as pessoas levassem outras pessoas ao Energiser, eu levaria Meg. Espero que você entenda o que estou dizendo; espero que entenda.

— Ah, entendi — assentiu ela, e depois repetiu o que eu havia falado como se fosse algo difícil de entender. — O nome da garota em quem você está interessado é Meg.

— Sim, exatamente isso — falei.

— Então espere — disse ela. — O que está realmente dizendo é que *você* não está interessado em *mim*?

— Não — falei, porque acredito que as pessoas sempre merecem ouvir a verdade. — Não desse jeito, Paloma. Mas posso dizer, caso você ainda não saiba, que, fora eu, todos os caras da turma estão muito, muito interessados em você, então você tem várias opções se um dia quiser...

— *Você* não está interessado em *mim*? — interrompeu ela, repetindo a mesma frase mais algumas vezes no mesmo tom de voz.

* * *

Depois daquela conversa, Paloma logo voltou ao normal. Disse que Meg devia ser uma pessoa muito especial para alguém como eu sentir aquelas coisas por ela. Disse que Meg era sortuda, e eu agradeci.

Até me pediu o e-mail dela porque seria legal, segundo ela, escrever alguma coisa e se apresentar, já que estava alugando sua casa e morando em seu quarto, então escrevi o e-mail da Meg em um pedaço de papel, o enrolei e joguei para Paloma, que o pegou com os dedos longos e imediatamente começou a alisá-lo e a passar os detalhes para seu telefone.

— Venha aqui em casa amanhã, OK? — disse ela sem olhar para mim, fechando as cortinas de Meg. E eu falei que iria.

* * *

No dia seguinte, quando bati à porta, a mãe de Paloma me levou até o quintal. Paloma estava perto da cerca, segurando uma espécie de raquete enorme e batendo em um colchão com tanta força que a poeira subia em nuvens imensas.

— O que você está fazendo? — perguntei.

— O que... POF!... você... POF!... acha... POF!... que estou fazendo? — respondeu ela, ofegando e meio carrancuda por causa do esforço.

— Parece que está batendo em um colchão.

— Estou *arejando* o colchão — disse ela. — Que obviamente é algo que a sua namorada Meg nunca fez, porque está fedendo. Não sei como ela esperava que eu dormisse nele nessas condições.

— Só para esclarecer, ela não é minha namorada, e também para esclarecer, aquela conversa foi confidencial.

Paloma continuou batendo e não respondeu.

— Está tudo bem, Paloma?

— Por que você acha que não estaria?

— Ah, não sei, só porque você está bem assustadora e com raiva.

Ela parou de bater no colchão e sorriu para mim.

— Talvez seja porque não estou acostumada a ser rejeitada por garotos. — Ela soltou uma risada alta, aguda e trêmula que não parecia a dela. Eu ia dizer alguma coisa, mas ela colocou o dedo sobre os meus lábios e disse, em uma voz meio provocante: — Oscar, você não precisa me responder nada, eu só estava brincando.

— Claro, eu sabia — falei, mas a brincadeira, aquele tipo de brincadeira que Paloma estava fazendo, era meio amarga. Parecia a sensação de morder uma fruta azeda e descobrir que, no centro granuloso, existiam centenas de sementinhas de realidade.

* * *

Paloma tinha encontrado uma carta no quarto de Meg endereçada a mim. Ela a colocou na caixa de correio com um bilhete: *Oscar!! Achei esta carta para você. Não li nem nada, só estou entregando!! Nos vemos em breve!!!!!! Bjs, PalomaK*

Achei legal da parte dela, olhando o envelope meio velho e percebendo que a aba parecia ter sido aberta e fechada algumas vezes, porque estava amassada e meio rasgada, como se Meg tivesse mudado de ideia e tirado a carta uma ou duas vezes, e depois recolocado.

Levei-a para o meu quarto, onde poderia abri-la com privacidade, e, antes que o fizesse, olhei para a janela de Paloma. Havia um novo tipo de luz lá, forte e ofuscante, que tornava muito difícil enxergar direito. Parecia que eu estava olhando para o sol.

A SÉTIMA FATIA

Quando você se muda para um lugar novo, as diferenças e aventuras e experiências surpreendentes parecem ter uma eternidade própria. Os momentos mundanos e repetitivos são aqueles que escapam da memória como se mal tivessem acontecido. Seria de pensar que era o contrário, que as partes chatas pareceriam demorar séculos, e as partes divertidas passariam voando, mas não é assim que funciona.

A partir do instante em que cheguei, tudo foi salpicado de novidade e surpresa, uma nova descoberta a cada esquina ensolarada.

Aprendi a fazer esqui aquático e a nadar daquele jeito forte e diferente que é necessário quando se está nadando em um lago. Nadar em um lago causa uma sensação sedosa e escorregadia. Não há todo aquele sal para nos fazer boiar, então você precisa se esforçar muito mais para ficar na superfície. Comparado a nadar no mar irlandês, é uma atividade completamente nova.

Eu me acostumei com o clima quente e também conheci muita gente. Quando janeiro chegou, eu tinha me habituado a pedalar até o lago quase todos os dias para nadar depois da escola com vários novos amigos locais.

Na Irlanda, nadar em qualquer lugar ao ar livre no meio de janeiro é uma atividade que beira a insanidade. Na Nova Zelândia, está mais para um direito humano básico.

As casas de Rotorua são feitas de madeira. À noite, elas estalam e rangem como se estivessem vivas. Os cisnes do lago Rotoiti, ali perto, não têm as brilhantes penas branco-azuladas dos cisnes normais. Eles são pretos e lustrosos, e seus bicos são vermelho-sangue. Na Nova Zelândia, o chão sob seus pés se comporta de um jeito com o qual você acha que nunca vai se acostumar: ele estremece, mas na maior parte do tempo ninguém parece notar; às vezes ele ferve, borbulha e até esguicha de vez em quando água quente e enlameada no ar.

Quando você vem de um lugar chuvoso, úmido, frio e nublado, não conhece a sensação de ter o rosto calcinado toda vez que sai de casa, como se estivesse abrindo a porta de um forno.

Mas, no final, aprendi a gostar dessas coisas estranhas e a apreciar as diferenças e as novidades. Eu me diverti muito, exatamente como Oscar falou que aconteceria.

Ele estava certo, como estava sobre muitas coisas. A viagem acabou sendo perfeita. Quero dizer, pelo menos o começo. Tudo o que ele previu foi basicamente o que aconteceu. Quando percebia que meus sentimentos por ele estavam vindo à tona, como acontecia sempre, eu tentava imaginar meu colchão em casa, na Irlanda, e enterrava esses pensamentos e sentimentos lá no fundo, da mesma forma que fiz com a carta que tinha escrito. E aí continuava a me jogar na vida neozelandesa com o entusiasmo despreocupado de alguém corajoso, pulando em um mar desconhecido.

Minha mãe e meu pai continuavam surpresos e felizes com a minha mudança ("maravilhados", como diziam), com o meu esforço.

Diziam que meu pensamento positivo tinha feito toda a diferença.

Eu descobrira que é possível se divertir muito em um lugar e, ao mesmo tempo, sentir falta de outro, e eu sentia falta da Irlanda. Obviamente, sentia falta de Oscar, mais do que se consideraria possível ter saudades de outro ser humano sem ficar doente ou permanentemente triste.

Eu costumava sonhar com ele, e nos meus sonhos ele estava sempre emoldurado por sua janela, balançando as pernas e abrindo seu lindo sorriso.

Eu o fizera prometer me avisar no minuto em que achasse que alguém ia se mudar para a minha casa. E, mesmo que ninguém se mudasse, disse a ele que mantivesse contato frequentemente. Ele prometeu que faria isso, e eu também. Então, no começo, fizemos.

* * *

Para: Meg Molony
De: Oscar Dunleavy
Assunto: Algumas coisas para lembrar

Não quis contar antes de você ir embora, mas, agora que você resolveu aproveitar a aventura, aqui estão algumas coisas úteis que você deveria saber:

Fato número um: os portos da Nova Zelândia são horríveis, e normalmente a água transmite doenças graves, muitas das quais assolam o país inteiro. Não beba a água.

Fato número dois: Os neozelandeses são um povo sem noção. Seus esportes mais populares incluem rafting em corredeiras, bungee-jump, críquete e outras atividades arriscadas em geral. Novamente, evite.

Fato número três: O clima da Nova Zelândia pode ser imprevisível, então o ideal é não tentar fazer nenhum tipo de viagem e ficar dentro de casa o máximo possível. Se você for forçada a embarcar em alguma jornada, nunca saia sem um monte de coisas, incluindo bebidas, filtro solar, comida, mantimentos, roupas quentes, telefone e, de preferência, sinalizadores.

Fato número quatro: Eles têm praticamente um terremoto por minuto, então é fundamental que você aprenda o protocolo de sobrevivência a terremotos.

Para: Oscar Dunleavy
De: Meg Molony

Desde quando você é especialista em saúde e segurança? Bjs, M.

Para: Meg Molony
De: Oscar Dunleavy

Meggy, leve isso a sério, de verdade, todo o cuidado é pouco. Bj, O.

E então um dia, não muito tempo depois, vi esta mensagem dele no Facebook:

> Oi, Meg! Estava mandando isto do meu quarto e vi uma luz acesa no seu quarto!

Estou vendo uma pessoa de cabelo comprido andando por ele e tirando coisas das malas devagar, colocando-as nas gavetas e pendurando nos cabides. É estranho não ser você, Meggy. Queria que fosse.

Bjs

"Eu sei, eu também", respondi, tentando ignorar uma forte trepidação que senti de repente dentro do corpo.

Mais tarde, ele enviou mais detalhes:

Achei que ia gostar de ficar atualizada sobre os novos moradores. Você vai adorar saber que são legais e que vão cuidar bem da sua casa. Sim, aquela garota que eu mencionei vai ficar no seu quarto agora, mas não se preocupe, ela é bem legal, além de organizada. É bom ter alguém na casa ao lado outra vez. Quero dizer, claro que eu preferiria que fosse você.

O nome dela é Paloma. Paloma Killealy.

Não sei por que, mas pedi a ele para tirar uma foto dela e me mandar.

Vou mandar uma melhor quando chegar perto o suficiente. Por enquanto você vai ter que se contentar com isso. Espero que esteja passando filtro solar e ficando longe de escorpiões.

Bjs, Oscar

Cliquei no anexo e encontrei uma foto de uma pessoa nas sombras. Na verdade, só dava para ver uma silhueta parada atrás da minha cortina. A cabeça estava baixa e parecia que ela segurava alguma luz instável, como uma vela ou uma lanterna com defeito, que lançava formas estranhas no meu antigo quarto, fazendo-o parecer um lugar desconhecido. Imediatamente desejei não ter pedido para Oscar tirar foto nenhuma ou, já que tirara, desejei que não tivesse me enviado.

Logo depois, ele mandou outra foto, como tinha prometido. Não era muito mais nítida, pois uma sombra escura ainda cobria o rosto da garota, mas a mostrava sentada no peitoril da minha janela, com o corpo inclinado para a frente do jeito que só estaria se você conhecesse muito bem a pessoa que estava tirando a foto.

Em pouco tempo, Oscar passou a não falar muito sobre mais nada nem mais ninguém.

Ele tinha descoberto uma quantidade enorme de detalhes sobre ela, como o fato de estar frequentando a nossa escola, da mãe dela ser uma mulher de negócios, de elas estarem procurando uma casa maior enquanto alugavam a nossa e de ela não gostar de algumas coisas da minha casa: por exemplo, era pequena demais e os canos chacoalhavam sempre que você ligava as torneiras, o quarto do aquecedor tinha um cheiro estranho e o chuveiro ao lado do quarto dela era totalmente imprevisível; escaldante em um minuto e congelante no outro.

"Diga a ela que não é imprevisível", respondi a Oscar. "Que ela só precisa conhecê-lo direito."

Ele falou que ia passar a informação e depois ficou dizendo que ela tinha enormes olhos castanhos e um cabelo que parecia seda dourada.

Seda dourada?

Eu tinha analisado as duas fotos que ele mandara, e, pelo que podia ver, o cabelo dela não parecia nem um pouco seda dourada. Parecia um cabelo normal, o tipo de cabelo que qualquer uma teria. Nada maravilhoso.

* * *

Esforcei-me ao máximo para ficar feliz por Oscar. Quando contei para minha mãe que ele estava ficando amigo da garota que morava no meu quarto, ela me perguntou se eu tinha algum sentimento em especial sobre essa situação e se queria conversar.

— Como assim? — perguntei, e pela primeira vez em séculos fiquei meio irritada.

— Pode ser difícil para você ouvir que tem uma pessoa dormindo na sua cama e convivendo com Oscar assim — explicou.

— Não sei do que você está falando — respondi, fechando meu laptop com força e indo até a porta. — E, de um jeito ou de outro, foi você quem decidiu alugar a nossa casa. Eu nunca achei uma boa ideia. Além disso, agora não importa, eu não ligo porque tenho um monte de amigos aqui. Não dependo de Oscar para nada.

— Não falei que você dependia, é só que...

— Mãe, sério, eu estou bem. Quero dizer, Oscar pode andar com quem ele quiser. Como eu poderia impedi-lo de fazer isso? Na verdade, estou feliz por ele. Estava preocupada por não saber como ele ia passar o inverno, o que ele ia fazer, e agora olhe só! Ele fez uma nova amiga, e é ótimo. Estou superfeliz por ele, OK?

Então falei para ela que ia sair para encontrar alguns dos meus novos amigos no lago. Talvez até fizéssemos esqui aquático.

De fato esquiamos, e depois conversei com Keira, Dougie e alguns dos outros; contei sobre essa garota e me perguntei em voz alta se Paloma Killooly, ou fosse qual fosse o nome idiota dela, sabia fazer esqui aquático ou surfar, ou se ela sequer já tinha nadado em um lago com cisnes negros deslizando por perto e enormes montanhas escarpadas observando do límpido céu claro.

Nós nos sentamos em uma mesa de piquenique, e eu puxei algumas mechas do meu cabelo ruivo, prendendo-as entre os dedos. Perguntei-me como eu ficaria com uma cor diferente; por exemplo, preto-cisne ou seda dourada.

— Eu fiz um monte de coisas interessantes aqui que aposto que ela nunca fez — anunciei para todo mundo. Eu não sabia por que, e nem eles.

— Ei, Meggy, não se preocupe — disse Dougie. — Você vai para casa em poucos meses, vai voltar para o seu quarto, e você e Oscar vão retomar as coisas exatamente de onde pararam.

Eu pensei bastante nessas palavras mais tarde, e às vezes elas batiam entre os meus olhos, como se alguém tivesse jogado uma pedra grande bem na minha cara.

Para: Meg Molony
De: PalomaK
Assunto: Oooooiiiiiii! Do SEU QUARTOOOOOOO!!!!

Querida Meg Molony!!

Oscar Dunleavy me deu o seu e-mail, então estou escrevendo para você, espero que não tenha problema!! Como você deve saber, eu e minha mãe estamos morando na sua casa! E eu me mudei para o seu quarto!! E achei que ia ser legal escrever para me apresentar porque vamos estar no mesmo ano na

escola quando vc voltar!!!! Espero que esteja
gostando da NZ!!! Fiquei SUPERAMIGA do Oscar!!!
Não é o máximo? Ele é fantástico!! Vai ser
d+ conhecer vc tb quando vc voltar!!

PalomaK

P.S.: Por favor, me conte, pelo amor de Deus... como
o seu chuveiro funciona? Eu nunca vou me
acostumar.

Eu tinha de admitir que ela parecia legal. Quero dizer, era um e-mail amigável e, tirando a overdose de pontos de exclamação, eu não tinha do que reclamar. Ela fora simpática, e Oscar sempre me lembrava de que a maioria das pessoas é fundamentalmente decente e que não vale a pena pensar mal delas. E por que ela não ficaria amiga de Oscar? Todo mundo queria ser amigo dele. Todo mundo da nossa escola queria andar com ele e gostava dele. Ele era assim.

Respondi dizendo que tinha sido "d+" receber o e-mail dela e que eu também estava ansiosa para conhecê-la pessoalmente.

Na manhã seguinte, havia outra mensagem me esperando:

Para: Meg Molony
De: PalomaK
Assunto: Aliás

Hoje eu tirei o seu colchão da cama e adivinha o que
encontrei ali embaixo? Sim! Uma carta para Oscar!!
Como ela foi parar ali?!! Enfim, eu a coloquei na
caixa de correio dele, OK? Não precisa me
agradecer... esse é o tipo de coisa que colegas de

quarto fazem uma pela outra!!! Não deixe de me responder! Vamos ser correspondentes! Acho que vai ser divertido! Bj, P

Uma imensa onda de calor me percorreu, seguida pelo que pareceu um espeto de gelo apunhalando meu estômago. Droga. Tentei desesperadamente me lembrar das palavras exatas que tinha escrito, mas só me lembrava que fora definitivamente uma declaração de *amor*. E agora Oscar ia ler, se é que já não tinha lido. Não era culpa de Paloma. Ela achou que estava ajudando. Ninguém podia culpá-la.

Fiquei tonta e meio enjoada. Enquanto a imagem de Oscar *lendo* meu bilhete secreto se tornava cada vez mais clara e constrangedora, pensei por um momento que ainda tivesse como evitar tudo isso.

Verifiquei a hora do e-mail dela, imaginando por um alegre e reconfortante segundo que talvez ainda conseguisse reverter as coisas e persuadir Paloma a pegar de volta aquela carta antes que Oscar tivesse a chance de ler. Mas, claro, era impossível. Ela a enviara mais de um dia antes. Ele já tinha recebido minha carta, sabia o que estava escrito nela, e era tarde demais para fazer qualquer coisa além de ficar embasbacada diante do meu laptop, pensando no que poderia ser feito para minimizar os danos.

A OITAVA FATIA

Assim que li, me arrependi de ter lido.

Querido Oscar,
No caso de você pensar que nós dois um dia poderemos ser um casal, achei que você gostaria de saber que isso nunca, jamais, vai acontecer. Não estou a fim, e você pode ir se acostumando com isso. Será que não está na hora de partir para outra? Pare de ficar obcecado por uma pessoa e procure possibilidades em outro lugar. Tudo bem ser sua amiga e tal. Pode me interromper se eu estiver presumindo alguma coisa errada. Só achei que devia ser clara para você poder seguir em frente com a sua vida, e eu com a minha.

O que realmente quero dizer é que você precisa abrir as suas asas.

Adiós,
Meg

Deitei na minha cama todo rígido e tenso, deixando mil pensamentos infelizes perseguirem uns aos outros dentro da minha cabeça. Aí ouvi um barulho. Era Paloma jogando pedacinhos de reboco na minha janela, reboco que ela havia encontrado no parapeito de Meg, e me perguntando da carta. Eu não estava com vontade de conversar sobre isso, mas Paloma tinha um jeito de piscar para mim bem devagar que me fazia querer contar todos os meus segredos a ela. E, antes que eu me desse conta, estava contando que Meg não tinha nenhum interesse em... bom... em mim. Ela ouviu atentamente, assentiu muito e falou "aham, entendo, humm". Ela disse que tinha um conselho: o único jeito de reagir a uma carta como essa era ignorá-la completamente e agir como se não ligasse para o que ela dizia, como se as palavras fossem totalmente insignificantes e não tivessem a menor importância para mim.

— Oscar, você precisa mostrar a ela que o conteúdo da carta é tão irrelevante que você praticamente se esqueceu do que diz. É de longe o melhor jeito de lidar com algo assim.

Eu sabia que Paloma estava fazendo o melhor que podia para ser sábia, honesta e útil, e resolvi aceitar seu conselho.

— Eu diria que o melhor para você é não pensar naquela garota. Ela não parece ser muito legal — sugeriu Paloma, o que era a opinião dela, e provavelmente estaria correta se a situação fosse analisada de forma lógica. Mas as coisas que eu sentia pela Meg não funcionavam, nem sequer existiam, na parte lógica e racional do meu cérebro. Daria no mesmo se Paloma tivesse mandado meu coração parar de bater ou meu sangue parar de correr pelas veias.

Depois que ela me deu boa-noite, um e-mail apareceu na minha caixa de entrada:

Para: Oscar Dunleavy
De: Meg Molony
Assunto: Carta acidental — favor desconsiderar.

Oscar, sinto muito, mas Paloma me mandou um e-mail dizendo que deixou uma carta minha para você e, sim, é minha, mas você não deveria ter recebido, e nada do que eu escrevi era sério, eu não estava pensando direito. Sabe, não sei o que deu em mim, e não só não era minha intenção escrever a carta, como eu definitivamente nunca quis que você a recebesse. Foi só um rabisco hipotético... nada daquilo era verdade.

Então, por favor, desconsidere. Pode fingir que eu nunca escrevi aquilo e que você nunca leu? Espero que não tenha problema para você. Me fale quando tiver recebido este e-mail para podermos ignorar tudo isto.

Meg

Para: Meg Molony
De: Oscar Dunleavy
Assunto: Carta acidental — favor desconsiderar.

Meg, estou muito aliviado por receber este seu e-mail. Por mim, não tem o menor problema esquecer a carta. Para ser sincero, fiquei meio perplexo quando li, então saber que você nunca teve a intenção de me entregar faz muito sentido. Como você sugeriu, vamos esquecer isso. Para mim tudo bem, se para você também estiver, e sem dúvida acho que é o melhor a fazer.

Ah, e Meg, por falar nisso, se já te passei a impressão errada... sabe, se já tentei sugerir algo sobre nós no passado, você também deveria esquecer, porque não foi minha intenção. Não quis passar nenhuma mensagem errada, OK? Se dei algum motivo para imaginar que penso em você de determinada forma, peço desculpas. Eu nunca teria desejado que você tivesse essa impressão de propósito. Mas vamos continuar amigos, porque é isso o que somos, não é?

Obrigado,

Oscar

A NONA FATIA

Depois que uma carta é lida, não tem como voltar atrás. Talvez eu devesse ter ficado tranquila por saber que ele aceitara fazer o que eu tinha pedido, ou seja, ignorar tudo aquilo. Mas eu não me sentia tranquilizada. Eu me sentia infeliz, rejeitada e humilhada. Eu tinha pedido a ele para ignorar as coisas que eu dissera sentir por ele. Então por que parecia que quem tinha tomado o tapa na cara era eu? Meu segredo fora revelado. E os sentimentos dele por mim, ou melhor, a ausência de sentimentos dele não podia ser mais clara. Acho que eu deveria ter ficado feliz por ter chegado primeiro, por retirar as coisas que nunca tivera a intenção de dizer na carta que nunca quisera enviar. Mas eu não estava nem um pouco feliz. Fosse qual fosse o oposto de feliz, era isso o que eu sentia.

A partir daquele momento, algo deu errado entre Oscar e eu. Nossa amizade ficou tão prejudicada que eu não conseguiria consertá-la. Nunca seria como antes.

Meg,
Uma notícia fantástica! Estou conhecendo mais
Paloma, e está sendo ótimo! Temos um monte de

coisas em comum e muito sobre o que falar, e ficamos na janela como eu e você fazíamos, nem de longe a vida tem sido tão chata quanto eu imaginava. Vou mantê-la informada.

Beijos do seu amigo

Oscar

Eu captei a mensagem.

Continuei desejando nunca ter sentido aquelas coisas, nunca ter colocado aquilo no papel ou enfiado a carta embaixo do meu colchão, onde Paloma a encontrara e enviara de um jeito ou de outro. Mas era tarde demais.

Tentei esquecê-lo, mas não foi fácil. Eu não conseguia me livrar dele. Não parava de pensar nele, e pequenas coisas que ele disse ficavam ecoando na minha cabeça. Eu sonhava com seu rosto, com seu jeito engraçado, e imaginava que via sua bicicleta, cintilando ao luar, e às vezes, quando estava dormindo, eu sonhava com o cheiro de suas tortas de maçã, ainda que quando acordasse o cheiro sempre tivesse sumido.

* * *

E parecia que meus pais nunca paravam de falar sobre como eu estava me ajustando bem à vida na Nova Zelândia. Eles sempre diziam, para qualquer um, como era bom o fato de eu não estar checando o Facebook cinquenta vezes por dia para ver o que todo mundo estava fazendo lá na Irlanda, e que eu nem parecia precisar mandar e-mails para Oscar o tempo todo. Que fique registrado, esse acabou sendo o maior erro da minha vida.

Eu nunca teria imaginado que perderia contato com ele. Quero dizer, antes de perder. Achei que tinha as minhas razões.

Mas, no final das contas, não eram boas razões. No final das contas, você nunca deve perder contato com as pessoas que são importantes na sua vida. Não existe desculpa para fazer isso.

A DÉCIMA FATIA

Ela parou de me mandar e-mails, e eu não conseguia encontrá-la. E foi exatamente na época que eu precisava muito conversar com ela por causa de um monte de outras coisas que estavam acontecendo. A antiga Meg teria sido uma enorme ajuda. A antiga Meg teria se esforçado ao máximo para me ajudar a entender as coisas, e tudo poderia ter sido um pouco melhor, mas eu me perguntava, conforme as semanas passavam, se a antiga Meg voltaria. Comecei a duvidar de que ela existia. Logo que ela partiu, eu recebia notícias todos os dias. Agora, havia mais de um mês que eu não recebia um único e-mail.

Pensei sobre como tinha meio que presumido que Meg era minha alma gêmea, e como fora um idiota por pensar que nós dois teríamos um grande futuro quando ela voltasse. Só que me dei conta de que estava errado, ridícula, constrangedora e vergonhosamente errado, e logo o mundo passou de colorido a preto e branco, a magia pareceu se esvair e a única coisa que me restou foi recolher meu orgulho e tentar fingir que minha esperança nunca existira. Agi como se não estivesse destruído ou derrotado. Fingi que não me importava.

Depois da carta, tudo ficou diferente. Como alguém poderia ignorar algo assim? Talvez algumas pessoas conseguissem, mas eu, não. Até tentei, mas saber aquilo afetava tudo.

Não era como se eu não tivesse outras coisas na minha vida: Paloma, por exemplo. Ela estava sendo ótima, e havíamos nos tornado bons amigos. Pelo menos acreditei que sim. Acho que era difícil saber o que ela estava pensando às vezes, e, OK, sem dúvida havia momentos em que eu não sabia o que pensar dela. Eu aparecia lá a caminho da escola, e ela ficava contente em ir de bicicleta ao meu lado, conversando até chegarmos perto dos portões da escola, quando parecia sumir. Era comum eu não conseguir encontrá-la ao longo do dia.

Eu a via no pátio com gente como Andy Fewer e Greg Delaney, que também costumavam ser bons amigos meus, e acenava, e quando ela erguia o rosto, ou percebia que eu estava me aproximando, dava um estranho sorriso torto, ria, e os três saíam em direções diferentes. Aí eu ficava acenando para o nada, me sentindo um idiota.

Ela tinha feito um monte de amigos desde que chegara, e sempre gostava de ter conversas particulares com eles. A maior parte do que ela dizia devia ser muito engraçado, porque as pessoas sempre caíam em gargalhadas insanas logo depois que ela sussurrava alguma coisa no ouvido delas.

* * *

Minhas tortas de maçã nunca funcionavam com meu pai, e não é que eu não tenha insistido. Mas, mesmo que sempre o encorajasse a comer uma ou duas fatias, não parecia fazer diferença. Concluí que algumas pessoas eram imunes e que não havia nada que se pudesse fazer.

Mas uma noite, meu pai, Stevie e eu estávamos assistindo a um programa. Nele, um confeiteiro famoso, não muito mais velho que eu, estava ensinando todo mundo a fazer tortas (por acaso, tortas de maçã) muito parecidas com as que eu fazia. Meu pai se endireitou, apontou para a TV, olhou para mim e sorriu.

Eu não o via sorrir havia muito tempo. Ele me disse que as *minhas* tortas de maçã eram muito mais bonitas que as do programa, e que apostava que aquelas não tinham nenhuma chance de ter um sabor tão fantástico quanto as minhas.

Quando ele foi até a cozinha pegar uma xícara de chá, Stevie sussurrou para mim que era um sinal. Parecia ser a primeira coisa que meu pai dizia em semanas.

Meu irmão ficou feliz em ajudar, como sempre, peneirando a farinha em nossa grande tigela de vidro, sentado na mesa baixa que eu tinha ajeitado para ele. Naquela noite, preparei quatro.

Meu pai disse que seria muita gula ficar com todas para nós, então sugeriu que eu levasse algumas para a escola de manhã, o que Stevie também achou uma ótima ideia.

Mas fiquei na dúvida. Eu tinha certo cuidado em manter minhas habilidades culinárias em segredo quando se tratava da escola. Você precisa ser cauteloso com coisas assim. A escola nem sempre é um bom lugar para se exibir quando se trata de qualquer coisa incomum — quase todo mundo sabe disso.

Então, só por precaução, achei melhor perguntar a Paloma antes de tomar uma decisão.

* * *

Por sorte, naquela noite, ela estava sentada na janela de Meg, escovando o cabelo. Quando me viu, sorriu e perguntou que cheiro bom era aquele. Achei que era a hora certa de contar sobre meu talento especial. Ela foi muito legal. Na verdade, falou: "Uau, que máximo."

Eu perguntei se, na opinião dela, as pessoas da escola gostariam de tortas de maçã caseiras, e ela sorriu e disse que "*claro* que gostariam". Quão raro era um garoto da minha idade saber fazer coisas assim? Falei que estava com um pouco de medo de as pessoas acharem que eu era meio "diferente", mas ela discordou. "Nem um pouco, por que alguém pensaria isso? Leve suas tortas com certeza, Oscar. Todo mundo vai ficar *muito* impressionado."

E seu cabelo dourado cintilou sob as estrelas.

* * *

Paloma estava certa. Eu não poderia ter imaginado uma reação melhor. No dia seguinte, o Sr. O'Leary levou uma das tortas para a sala dos professores, e eu deixei a outra na mesa à frente da sala de aula.

Quando ele reapareceu, disse que tinha um anúncio:

— Pessoal! Acho que temos nosso candidato para o show de talentos!

O show de talentos é uma competição nacional; as escolas podem inscrever quem quiserem por qualquer habilidade que julgarem adequada. Em pouco tempo, um monte de gente tinha comido uma fatia e estava aplaudindo e dizendo coisas como "É isso aí, Oscar!", e que sem dúvida ganharíamos para a escola, o que seria ótimo, porque o prêmio garantia iPads para todo mundo. Então foi muito empolgante, e no começo me senti orgulhoso por representar a escola fazendo algo que amava. Eu sabia que tinha um talento, mas nunca imaginara que fossem querer me colocar em um concurso como aquele.

Paloma parecia não ter ficado tão feliz quanto eu esperava, mas sim meio irritada. Não entendia por que todo mundo estava fazendo tanto alarde.

— Mas você me *disse* que todo mundo adoraria as tortas — argumentei.

— Pois é, bom, então eu estava certa, não é? — respondeu ela, ainda parecendo descontente.

* * *

Ninguém levou detenção naquele dia, ninguém teve dever de casa, e os professores passaram o tempo todo aparentando se divertir muito.

Muitas outras coisas boas também aconteceram, como nosso time de hóquei entrar na semifinal da liga regional pela primeira vez desde 1973, e o coral da escola cantar "Ave-Maria" tão lindamente que a Sra. Stockett chorou. Ela disse que foi de felicidade e orgulho.

— Tem magia por todos os cantos hoje, Oscar! — disse o Sr. O'Leary quando eu estava indo para casa. "Não é magia", pensei. "São apenas pessoas sendo simpáticas umas com as outras e fazendo o melhor possível." Eu tinha uma sensação secreta de que as tortas de maçã haviam feito seu truque de novo, e eu deveria ter me sentido bem por isso. Mas, quando cheguei em casa, meu pai estava silencioso e triste como sempre. E quando fechei os olhos, vi o rosto de Meg, ouvi sua voz falando na minha mente e quis, mais do que imaginava, me segurar a ela, bem na hora em que ela parecia estar me escapando.

Oi, Meg!
O que houve? Por que você sumiu? As coisas aqui estão bem, mas seria legal saber de você. Como estão seus novos amigos?

Das notícias locais, você vai ficar feliz em saber que fui selecionado para o show de talentos nacional deste ano. Eu, Oscar Dunleavy, vou representar a escola.

Paloma falou que um monte de gente gostaria de ter sido selecionada e que eu deveria me considerar um sortudo. Ela disse que, na verdade, teria gostado de usar a competição como uma oportunidade para exibir os designs de vestidos nos quais ela diz ser incrivelmente boa. Se não tivesse me encorajado a mostrar minhas tortas, ela acha que outros talentos poderiam ter tido a chance de ser considerados. Disse que foi um golpe de sorte para mim e que eu deveria estar grato a ela, o que estou.

Mas agora ela diz que não se importa e que, na verdade, espera que eu ganhe. Eu mereço tudo o que pessoas com o meu tipo de talento merecem e ela precisa admitir que, no final das contas, as tortas são deliciosas.

Ela está me ajudando a ensaiar na frente da turma inteira. Ela me apoia muito. Realmente quer que eu acerte, e passa séculos falando comigo sobre isso. Andy e Greg aprenderam a mexer no iMovie durante o verão e vão fazer uma grande entrevista comigo na frente de todo mundo, então sem dúvida vou virar uma sensação da internet logo logo... haha.

Bjs, Oscar

A questão era que Paloma estava muito impressionada com as minhas tortas, e eu estava feliz por isso. O que ela não gostava muito era de eu ter sido escolhido “do nada” para o show de talentos, e quando ela teve uma chance de explicar, vi que tinha um bom motivo. Ela estalou os dedos longos, finos e de unhas feitas para ilustrar como a decisão fora tomada rápida e aleatoriamente.

— Ninguém deveria ser escolhido assim sem dar uma chance aos outros, não é? Todo mundo deveria ter a oportunidade de mostrar o que sabe fazer antes que o vencedor seja selecionado, não acha?

O Sr. O'Leary foi insistente.

— Chega, Paloma, por favor — disse ele. — Claro que não precisamos de uma competição; sabemos quem vamos apresentar da turma 3R. Oscar. Oscar Dunleavy e suas maravilhosas tortas de maçã com lindos enfeites... elas são incríveis.

— Ninguém nunca venceu uma competição de talentos com *comida* — rebateu ela.

— Venceu, sim — intrometeu-se Alison Carthy. — Um cara do *Britain's Got Talent* chegou aos programas ao vivo com torradas artísticas.

— É, viu, pense em como isso é ridículo. Tortas de maçã são tão estranhas quanto, e a nossa turma inteira não vai ser motivo de piada apenas na escola. Se ele passar, a droga do mundo inteiro vai rir da gente. Não é justo. Existem outras pessoas talentosas nesta sala. Deveríamos ao menos ter a chance de mostrar o que sabemos.

* * *

Mais tarde, nas janelas, Paloma falou que esperava que eu entendesse seu ponto de vista. Ela não tivera a intenção de desrespeitar meu talento, e queria que eu soubesse que não era nada pessoal.

— Sem querer ofender — disse ela. — Estou cem por cento do seu lado quando o assunto é o seu talento. Mas é que alguém precisa falar em nome da democracia, da liberdade de expressão e da justiça para todos.

Quando tive chance de pensar no assunto, concordei que não eram coisas ruins de se apoiar.

A DÉCIMA PRIMEIRA FATIA

Ele tinha me prometido que tudo ia ficar exatamente igual. Eu o ouvira dizer isso enquanto olhava bem para mim, sentado na janela onde pensei que sempre estaria me esperando. Mas o Oscar tinha mentido para mim e agora eu sabia, porque tudo estava ficando completamente diferente.

Outra pessoa estava tomando meu lugar, morando no meu quarto, sentando-se na minha janela, tendo longas conversas com ele, ajudando-o com shows de talento regionais e falando sobre tortas de maçã, competições e sabe-se lá mais o quê, bem no lugar onde eu ficava.

Eu não queria falar com ele, nem mandar e-mails contando novidades. Acho que queria puni-lo. Queria puni-lo por se tornar amigo de outra pessoa, o que mostra que sou uma pessoa horrível. Como eu poderia culpá-lo por fazer isso? Oscar era o cara mais amistoso que eu já tinha conhecido. Era da natureza dele fazer amigos, especialmente com gente nova que estava começando na escola e não conhecia ninguém. Novatos, como todo mundo sabe, são vulneráveis e precisam ser tratados com decência.

Foi um erro ficar tão enciumada. Mas a pontada daqueles milhares de quilômetros de distância era afiada e profunda, e parecia me endurecer e me fazer virar as costas para ele — o que, como falei, é algo que nunca me julgaria capaz de fazer, até tudo isso acontecer.

Oscar não se deixou abater pela minha falta de comunicação. Continuou escrevendo, mas eu sabia. Sabia que as coisas tinham se tornado diferentes, e dali em diante notei a sensação de obrigação carimbada nas mensagens que ele escrevia, o que também me doía. Ele não estava me escrevendo porque realmente queria, pelo menos eu achava que não. Ele estava me escrevendo porque achava que era a coisa certa a fazer, já que eu estava tão longe e ele prometera escrever.

"Oscar", eu pensava amargamente, "não preciso ser sua obrigação. Vou mostrar o quanto não preciso de você. Espere até ver o quanto posso ser feliz sem você".

De: Oscar Dunleavy
Para: Meg Molony
Assunto: Desastre do show de talentos

Não sei o que aconteceu, mas todo mundo se voltou contra a minha apresentação de tortas de maçã. Achei que você pudesse me ajudar a entender.

O que aconteceu foi o seguinte: como você vai descobrir mais cedo ou mais tarde, o ensaio foi na frente da turma, e foi um desastre tão constrangedor que agora estou pensando seriamente em não prosseguir com a competição.

Por sorte, Paloma tem feito vários designs e falou que ficaria feliz em me substituir se eu decidir não me apresentar, o que vai ser a solução perfeita, pois não quero ser responsável por desistir e deixar a escola na mão. Para ser sincero, acho que seria melhor em todos os sentidos. Não sei por que todo mundo mudou totalmente de opinião, mas parece que muita gente começou a pensar que *ninguém* quer ver um garoto fazendo tortas de maçã. Isso podia ser meio estranho. O que você acha?

Paloma está sendo muito legal e disse que talvez eu devesse tentar desenvolver um talento diferente que mais gente "entenda".

Queria que você me escrevesse e contasse como está. Seria ótimo ter notícias suas. Parece que faz muito tempo desde que... sabe... você me escreveu.

Seu amigo,

Oscar

Eu não conseguia parar de pensar na minha carta que ele tinha recebido acidentalmente, no quanto eu tinha *morrido* de vergonha por ele a ter lido, e no fato de que estava ainda mais envergonhada por ele ter ficado horrorizado diante da ideia de que eu era apaixonada por ele.

Eu não podia culpá-lo por não sentir o mesmo que eu. Claro que não podia... não de uma forma racional. É impossível forçar as pessoas a sentirem coisas que não sentem, ou dizer coisas que não acham. Mas, embora fosse irracional ficar com raiva dele, e embora eu tentasse arduamente não ficar, eu estava com raiva, e é por isso que, quando escrevi para ele, disse isto:

De: Meg Molony
Para: Oscar Dunleavy
Assunto: Tudo bem, obrigada

Oi, Oscar, desculpe por não escrever há um tempo. Espero que esteja tudo bem e que você e sua vizinha continuem se divertindo muito juntos. Está tudo fantástico por aqui, obrigada. Você não acreditaria se visse a quantidade de amigos novos que fiz. Eles são maravilhosos e divertidos. Praticamente nunca paramos de rir. Vamos ao lago depois da escola todos os dias e fazemos esqui aquático, churrasco e o que mais tivermos vontade. É legal. Além disso, temos muita sorte com o clima, o tempo e essas coisas, sabe. Como está o inverno irlandês? Espero que não esteja frio ou úmido demais.

Enfim, por falar em diversão, a questão é que tenho andado muito ocupada e não acho que vou conseguir escrever para você com a frequência de antes. E também não espero que você escreva. Talvez esteja na hora de nós dois vivermos em mundos diferentes.

Então, o que estou dizendo é que não acho que você deveria se sentir pressionado a me mandar e-mails, OK? É sempre ótimo ter notícias suas, e não é que eu não adore receber seus e-mails, Oscar, mas tenho que seguir com a minha vida, sabe? Simplesmente não posso passar o tempo todo olhando para a tela do meu laptop, esperando notícias suas quando o sol está brilhando lá fora e eu deveria estar aproveitando tudo ao máximo. Tenho que "aproveitar a experiência", lembra? Preciso dar uma chance real a este lugar. A Nova Zelândia é minha casa no momento. Então... acho que você vai entender o que estou dizendo.

Ah, e aliás, agora que você me perguntou, acho que a coisa da torta de maçã é meio estranha. Então, se tiver a oportunidade de sair dessa, provavelmente vale a pena desistir do troço de talentos. Se eu fosse você, é o que eu faria.

Meg.

Foi desprezível e cruel da minha parte, eu sei. Oscar *era* mágico, assim como as tortas dele, e tudo mundo deveria saber disso, sobretudo eu. Mas eu estava com ciúme e queria magoá-lo e fazê-lo se sentir pequeno por não gostar de mim. E não queria que ele e Paloma se tornassem os astros da 3R enquanto eu estava fora.

Queria poder voltar atrás nas coisas que tinha escrito.

* * *

Oscar respondeu quase imediatamente, dizendo que entendia meu ponto de vista em relação às tortas, mas que não sabia do que eu estava falando quando disse que ele não deveria escrever. Falou que ia continuar escrevendo, porque é isso o que amigos fazem.

Mas não mudei de ideia. Recebi muitas outras mensagens dele depois, pequenos pensamentos, ideias e lembretes de coisas que dizíamos um ao outro, mas nossas janelas pareciam estar a milhões de quilômetros de onde eu estava sentada naquele momento. As coisas que dizíamos um ao outro eram indistintas para mim, e minhas lembranças delas estavam empenadas e amassadas por causa do quanto eu me sentia distante e por conta daquela carta idiota. Aquela carta idiota. A carta que nunca deveria ter sido enviada. A carta que eu jamais quisera que ele lesse, ainda mais agora que sabia que ele não me amava.

De: Oscar Dunleavy
Para: Meg Molony
Assunto: Chamando Meg. Apareça Meg

Meg? Por que você não fala mais comigo? Qual é, a gente deveria escrever todo dia, e agora você ficou

quieta, sumiu, e estou precisando muito conversar.
Então pare de ser má, abra seu laptop e me mande
uma foto ou qualquer coisa para eu poder me
lembrar da droga da sua cara, OK?

Recebi mais alguns e-mails como esse, mas não respondi nenhum. O último tinha três palavras. Só dizia: *Meg, cadê você?*

A notícia chegou duas semanas depois disso.

A DÉCIMA SEGUNDA FATIA

Quando cheguei à escola no dia primeiro de fevereiro, tinham escrito TARADO em letras enormes no meu armário. Tinta preta permanente.

— Que droga é essa? — perguntei para Andy e Greg, que por acaso estavam ali perto.

— Não sabemos, cara — disse Andy. — Mas as pessoas não escrevem coisas assim no seu armário sem motivo.

— Sabe, Oscar, se você gostava dela, só precisava dizer — falou Greg. — Quero dizer, lembra quando ela estava praticamente se oferecendo para você no começo?

Eles deram de ombros, e fiquei olhando os dois se afastarem, se empurrando pelo corredor.

Logo ninguém estava falando comigo. As pessoas iam para o outro lado do corredor quando me viam. Sussurravam e davam risadinhas quando eu estava por perto, e quando pedi a régua de Terry Kelly emprestada, ela a jogou do outro lado da sala, onde outra pessoa a pegou e saiu correndo.

Olhei para dentro do ginásio em uma quinta-feira depois de dois tempos de matemática para ver se a aula já tinha começado, e Brian Dillon passou e disse:

— Dando uma de tarado de novo, Oscar?

Falei que não fazia a mínima ideia do que ele estava falando.

— É, aposto que não — ironizou ele, e sumiu antes que eu tivesse a chance de perguntar o que queria dizer com aquilo.

É impressionante a rapidez com que você pode passar de um garoto normal, sem nenhum traço peculiar, para o esquisito das tortas de maçã com quem ninguém quer falar.

Eu tinha começado a repensar toda a minha vida, antes mesmo de saber a verdade sobre mim. E depois... quando eu soube de tudo, nada mais fez sentido.

* * *

Nunca peguei totalmente o jeito de pular da janela e escalar a árvore. Mas na noite em que tomei a decisão drástica, desci voando como se fosse um bicho veloz da floresta. É engraçado como a tristeza e a irresponsabilidade melhoram suas habilidades.

Fui o mais rápido que pude até a minha bicicleta, que brilhava no portão onde eu sempre a deixava. Eu tinha feito uma escolha sombria, e seria irreversível, mas estava cada vez mais convicto de que era aquilo que deveria fazer. O píer terminava em uma queda enorme, logo ao lado da longa escada enferrujada que desce até as profundezas.

"Meg", falei dentro da minha cabeça. "Meg, você se lembra de que sempre ficávamos com as pernas penduradas lá no final enquanto a luz ia acabando nas tardes de inverno, e que nos perguntávamos o que aconteceria se um de nós caísse?"

E eu me lembro que ela dizia: "Não sobreviveríamos muito tempo nessa água, não no inverno."

Eu pensava nisso, e minha cabeça latejava de um jeito insuportável — mas eu decidira fazê-la parar.

Só levei quatro minutos e vinte segundos para ir da minha casa até o poste de amarração do píer. Bastara pedalar rápido, mantendo as mãos longe dos freios. Além disso, não havia trânsito no meio da noite.

Eu queria me esvaziar das coisas que me preenchiam. Não queria estar ali. O enorme nó apertado dentro de mim nunca seria desfeito. Era complicado e emaranhado, e eu não parava de dizer a mim mesmo que sentia muito, mas não conseguia ver outro caminho.

Meus pés giravam nos pedais, e o barulho da corrente era tranquilizador, como uma música lenta ou um sussurro encorajador.

"Vá embora", repetia o sussurro, e eu ouvia, porque era muito convincente, reforçando minha decisão.

Atravessei correndo a ponte Hallow, cujas luzes nunca funcionavam direito, sempre se acendendo e apagando em intervalos imprevisíveis. Continuei em frente até chegar ao alto da estrada que levava ao píer.

— Adeus, ponte Hallow — falei de um jeito estúpido, depois continuei, mais alto: — Adeus, pai, e adeus ao seu silêncio angustiante e à sua tristeza que não consigo *aguentar*. Adeus, Meg; não que você vá ligar, já que seguiu em frente e nossa amizade não tem mais importância para você. Adeus, Stevie, me desculpe por deixar você, mas, quando descobrir sobre mim, como acontecerá um dia, também ficará feliz por eu ter partido.

"E adeus, Paloma, obrigado por ser a única suficientemente corajosa para me dizer a verdade. Obrigado por isso. Eu diria que nunca vou esquecer, mas provavelmente vou esquecer tudo muito em breve... então, é isso."

Eu mal conseguia esperar para minha cabeça parar de latejar. Estava ansioso por aquilo.

Eu estava ansioso para cair no nada negro que parecia me atrair.

Meg. Meg Molony. Deixei o nome dela se revirar dentro da minha boca mais algumas vezes. Meg, sinto muito por tudo ter dado tão errado. Era uma tolice dizer um adeus que ninguém ia ouvir, mas não havia tempo para um bilhete.

Eu ouvia um estranho zumbido cada vez mais perto, e um assobio no ar. Eu podia ter perdido a esperança, mas ainda tinha meu orgulho. E me lembro de pensar que pelo menos era alguma coisa... ainda ter orgulho. Era um pequeno consolo no meio daquilo.

Acho que posso até ter me despedido de mim mesmo, como se houvesse duas pessoas dentro de mim, o que mostra como eu estava louco.

Dei impulso e comecei a descer rápido. É uma ladeira íngreme, e peguei muita velocidade, o que na hora achei que explicava o assobio quase musical que abafava os outros sons, atravessando o ar. Batendo e chacoalhando no chão irregular, cheguei ao píer, sempre uma imagem surpreendente depois da rua murada, mas dessa vez não senti prazer ao ver as estrelas brilhando, a água reluzindo ou o mar batendo contra as pedras, por causa do meu desespero e porque aqueles seriam meus momentos finais, e em situações como aquela você não tem tempo de parar e apreciar os arredores.

Mantive o guidão o mais estável que pude, e foi mais fácil do que eu imaginava. Minha bicicleta e eu disparamos da extremidade, e juntos caímos no mar, que é frio, enorme e não se importa se garotos vivos se jogam nele ou não.

* * *

Uma sensação de câmera lenta me dominou, e partes da minha bicicleta arranharam partes do meu corpo. Algas marinhas escorregadias se enrolaram nos meus tornozelos, e meus sapatos saíram dos pés. Meus braços e pernas foram puxados em direções diferentes, como se houvesse uma força subaquática me obrigando a dançar uma música mórbida.

Eu me sentia leve. Eu me sentia pesado. Eu me sentia lento. Eu me sentia veloz... tudo em rápida sucessão, mas eu não conseguia pensar em nada além da relaxante ideia de que logo tudo aquilo terminaria.

Eu estava sozinho. Ao redor, as pedras molhadas eram silenciosas e escorregadias. Eu não conseguia sentir nenhum prazer ou motivação. Minha decisão parecia terrivelmente fazer sentido.

Meu pânico sumira. Eu estava cansado de tomar decisões. Não pensei que teria de tomar mais alguma um dia.

Não sei exatamente o que eu esperava em seguida. Luz e música, provavelmente. Talvez uma música linda, como uma harpa ou algo tocando bem longe, e calor para reconfortar meu corpo entorpecido, congelado, encharcado e ferido.

Eu definitivamente não esperava o que aconteceu em seguida.

* * *

Ouvi uma voz, e dessa vez não vinha da minha mente. Senti mãos, e que não eram minhas, tentando me segurar, me puxar com dificuldade.

"Então é assim", disse a mim mesmo, tremendo violentamente, mas sem sentir mais medo. "Como se alguém estivesse me carregando e me levando para um lugar seguro. Não é tão ruim."

As mãos me colocaram no chão desconfortável e irregular, e uma voz de veludo e areia falou comigo baixa e suavemente.

Era Barney. Barney Brittle. Naturalmente, perguntei a ele o que pensava que estava fazendo, e ele me perguntou o que parecia que estava fazendo, que era me salvar de um fim dentro da água. Ele disse que não fazia muito tempo que eu o salvara e explicou que tudo o que vai, volta, que agora era a vez dele de me salvar. E ali estava ele, encharcado porque tinha pulado na água para me resgatar. Ele podia estar pingando e ter uma aparência sombria e desesperada, mas também era teimoso e havia convicção em seu jeito de olhar para mim. Eu estava fraco e congelando. Achei que sabia o que estava fazendo, mas não sabia.

Ele me lembrou que estivera muito assustado no mesmo lugar uma vez, não fazia muito tempo. Disse que sabia exatamente como era sentir o que eu estava sentindo, e que não me invejava. Mas que eu não tinha de pensar em mais nada naquele momento, porque ele estava no comando. Era ele quem ia decidir o que acontecia em seguida, o que de repente me pareceu bom. Naquele exato momento, eu o teria seguido a qualquer lugar.

* * *

No final das contas, segui-lo foi muito mais difícil do que eu imaginara. Ele tinha um jeito intimidador de andar. A princípio, sugeriu me carregar nos ombros, o que considerei desnecessário. A um passo estranhamente rápido, ele percorreu o labirinto de ruas secundárias que serpeavam por minha cidade e chegou ao muro no topo da colina Primrose.

Eu devia ter passado pelo mesmo muro um milhão de vezes, e nunca tinha notado o pequeno portão que havia ali, escondido por arbustos e trepadeiras. Ele o abriu e olhou em volta como se temesse que alguém estivesse nos seguindo. Subimos, chapinhando um caminho sinuoso e estreito com muros de ambos os lados, e continuamos cada vez mais, enquanto ele falava sozinho de um jeito que sem dúvida era meio estranho.

— Onde nós estamos? — perguntei. Ele explicou que estávamos subindo até sua casa e, nas vezes em que perguntei, me assegurou de que eu não estava morto.

Barney me disse que aquela era uma má escolha para um suicídio, se era isso o que eu estava tentando cometer. Eu disse que não tivera muito tempo para pensar no assunto, que tinha planejado tudo rapidamente sob o que se poderia chamar de pressão extrema.

— Fico feliz por você ter tomado uma decisão ruim. Seria muito improvável que conseguisse se matar com a estratégia que escolheu.

Eu estava ficando meio sem fôlego por tentar acompanhá-lo.

— Algum lugar onde ele possa se abrigar — dizia ele, sussurrando e chiando um pouco, mas sem diminuir o passo nem por um segundo. — Algum lugar onde ele possa se aquecer, e onde ninguém consiga encontrá-lo. Não estrague tudo, Barney. Este garoto está caindo. Você precisa ampará-lo.

A casa de Barney era velha e triste, como se estivesse amuada por ter tido o elaborado trabalho de ser construída para depois ser negligenciada a ponto de parecer que ninguém morava ali.

A DÉCIMA TERCEIRA FATIA

Eu tinha ido ao lago depois da aula. Era a primeira quinta-feira de fevereiro, faltando dois minutos para as seis da tarde. Minha mãe segurava uma enorme tigela de salada de vidro. Ela atendeu o telefone, e, enquanto ouvia, seu pulso virou e sua mão escorregou, deixando cair toneladas de azeite balsâmico, que derramou pela borda da tigela, formando uma enorme poça preta no chão.

— Mãe, cuidado, você está derramando tudo — falei, mas ela não estava ouvindo, claro, porque não só não tomou cuidado como deixou cair a tigela inteira. Havia alface perto dos meus pés, tomates rolavam pelo chão, e a tigela, que rolou pela cozinha como se tivesse vontade própria, fez um estrondo.

Mamãe inspirou de um jeito estranho e curto, como as pessoas fazem às vezes quando sabem que algo está muito errado, mesmo antes de saberem exatamente o que é.

* * *

Era o Sr. Dunleavy. Ele e a minha mãe passaram um bom tempo falando. Ou, melhor, ele tinha falado, e mamãe ouvira em silêncio, ganhando uma palidez azulada que eu nunca vira. Depois de se despedir, ela me pediu para me sentar à mesa, e eu disse que queria tomar banho antes. Mas ela enrolou uma grande toalha em mim e disse que o banho podia esperar.

Então me contou que a bicicleta de Oscar tinha sido tirada da água e que seus sapatos haviam sido encontrados.

— Tudo bem — falei. — Não vamos entrar em pânico. Talvez ele tenha deixado a bicicleta perto demais da borda. Ele é muito descuidado com aquela bicicleta. E você nem imagina a quantidade de vezes que ele sai sozinho sem dizer a ninguém. Mas sempre volta. Talvez simplesmente tenha perdido os sapatos porque foi nadar.

— Querida? Em fevereiro? Não, ele não foi nadar. Meggy, sinto muito dizer isso para você, mas estão fazendo uma busca enorme e, meu bem, já faz alguns dias e infelizmente as pessoas começaram a pensar o pior.

— O pior? — perguntei, olhando para ela. — O que isso significa? — Era uma pergunta idiota, porque obviamente eu sabia o que significava.

Meu cabelo pingava. Eu queria voltar lá para fora com as mãos sobre as orelhas. Queria voltar ao momento, não tão distante, em que eu mesma estava dentro da água, feliz e ignorante, sem saber da bicicleta encharcada de Oscar, da equipe de resgate e dos dias que já tinham se passado... dias que não continham Oscar. De repente, eu me senti uma pessoa completamente diferente.

Subi correndo para o meu quarto e cliquei freneticamente no laptop.

Havia um monte de e-mails não lidos. Andy Fewer. Greg Delaney. Stevie. E um de Paloma. Paloma Killealy. Seu e-mail dizia como a situação era devastadora e perguntava se eu podia fazer alguma coisa para esclarecer o que tinha acontecido com

Oscar, porque, se pudesse, devia dizer logo a ela, ainda que fosse improvável, pois eu estava muito longe e obviamente, conforme ela ressaltava, eu e ele não éramos mais tão íntimos quanto no passado.

O e-mail de Stevie dizia: "Meggy. Você soube do que aconteceu? Por favor, venha para casa. Preciso conversar com você. Se eu pudesse conversar com você, conseguiríamos encontrá-lo. Não deixe ninguém tentar convencê-la de que ele está morto. Porque ele não está, Meggy. Ele não pode estar. Venha para casa. Preciso muito ver você. Beijos, Stevie."

Eu chequei o último e-mail que Oscar havia mandado. Era de duas semanas antes. Como podia ter passado tanto tempo? Abri o Facebook. Nem um único post havia mais de um mês. E agora essa notícia. Parecia que algo batia no meu rosto sem parar. Oscar Dunleavy tinha desaparecido. Ninguém conseguia encontrá-lo. Ninguém sabia onde ele estava. Ele tinha partido.

"Oscar, minha mãe disse que você fugiu para algum lugar." Digitei uma mensagem frenética para ele. "Diga logo que não é verdade, por favor? Oscar, sério, você precisa entrar em contato."

As palavras começaram a tremer diante de meus olhos. Mais mensagens apareceram na minha caixa de entrada. O Sr. O'Leary. Stevie de novo.

O pai de Oscar tinha enviado uma lista assustadora de perguntas:

Quando ele lhe escreveu pela última vez?

Você percebeu alguma mudança nele?

Do que ele falava nos últimos tempos?

Ele mencionou alguma coisa sobre ir embora, ou talvez tenha lhe contado algo que planejava fazer?

Ele estava se comportando de um jeito estranho?

Ele vai a algum lugar que talvez a gente não saiba?

Ele pode estar em algum lugar que você saiba?

As perguntas iam até o final da página, cada uma tão difícil de responder quanto a anterior, cada uma gritando uma mensagem de pânico crescente. Minha cabeça estava pegando fogo quando desci correndo para a cozinha, onde meus pais falavam em seus telefones em um tom sério e baixo, murmurando coisas que eu não conseguia ouvir.

— Eu nunca quis vir para a Nova Zelândia! — gritei. — Eu falei isso mil vezes, mas vocês não me escutaram. Eu não queria ter deixado minha vida para trás. Não queria ter deixado Oscar, e agora, *agora* olha a droga que aconteceu.

Talvez eles devessem ter me mandado parar, mas não disseram uma única palavra, nem mesmo quando peguei uma caneca e a joguei no chão.

* * *

Se um amigo seu desaparece, é importante ir para casa e demonstrar o que essa pessoa significava para você. Você precisa voltar aos lugares onde ela esteve pela última vez para descobrir o que aconteceu.

Foi engraçado como minha mãe e meu pai tinham se esforçado tanto para me levar até a Nova Zelândia, e agora estávamos indo para casa de um jeito ou de outro por causa de Oscar. Por um breve momento, eu tinha me perguntado se precisaria causar uma grande briga por causa disso, mas não precisei dizer uma palavra. Meus pais tinham concordado que voltar para casa e prestar solidariedade ao pai de Oscar e a Stevie eram coisas mais importantes para o meu pai do que terminar seu período ali.

— Às vezes coisas acontecem e você precisa deixar suas prioridades de lado — dissera ele. Fiquei feliz por meus pais saberem que essa era a coisa certa a fazer. Eles já tinham comprado as passagens. Dois dias depois, estávamos de malas prontas e os detalhes haviam sido resolvidos.

Uma grande parte do projeto de pesquisa do meu pai foi entregue a um cara chamado Jerry Nolan. Eu disse que sentia muito, mas meu pai falou para não me preocupar. Não era culpa minha, disse ele, e eu não tive coragem de explicar o quanto era. Ele falou que haveria outros projetos de pesquisa e que nada disso importava naquele momento, porque eles queriam se concentrar em mim e no que eu estava sentindo.

Eu amava meu pai mesmo na névoa confusa que me cercou durante aqueles dias. Minha mãe não parava de acariciar minha testa, como se eu fosse uma criança pequena. Era meio irritante e não ajudava muito, mas eu não disse nada, porque, quando alguém está tentando reconfortar você, às vezes precisa fazer coisas inúteis e irritantes, e você não deve impedir.

Durante todo aquele tempo, ninguém me pediu para fazer nada. Eles não se zangavam quando eu não respondia. Pararam de me dar as instruções habituais como: limpe o que sujar, faça seu dever de casa ou escove o cabelo. Na única vez em que eu precisava de atividades mundanas para distrair a cabeça foi quando eles me deixaram sentada em um canto sem fazer nada.

Alguns dos meus colegas neozelandeses me visitaram para se despedir. Eles pareciam constrangidos, e alguns falaram o quanto estavam tristes por ficar sabendo sobre o meu melhor amigo na Irlanda. Isso também não era um conforto, embora eu soubesse que estavam tentando ser legais. Eles não conheciam Oscar.

As coisas que passavam pela minha mente eram confusas, abafadas e distantes, e eu não conseguia conversar com ninguém sobre elas. Basicamente ficava sentada sozinha, tentando imaginar o que ia dizer para todo mundo quando voltasse. Fiquei feliz quando chegou a hora de pegarmos um táxi para o aeroporto.

Acho que os neozelandeses são o povo mais alegre do planeta. Depois de receber a notícia de que o seu melhor amigo está desaparecido, ficar cercado de gente alegre é o bastante para enlouquecer qualquer um. Meus pais fizeram um círculo protetor ao meu redor, dizendo que estavam ali se eu precisasse, que me amavam e que ia ficar tudo bem. Mas nada estava bem, e nada nunca mais ficaria bem.

* * *

Chegamos à Irlanda em uma manhã cinzenta. Os pingos de chuva caíam como alfinetes no meu rosto, e o vento me envolveu como um desagradável cobertor úmido, fazendo o oposto do que cobertores devem fazer. Paloma e a mãe ainda estavam morando na nossa casa, então tivemos de alugar um apartamento.

A mãe de Paloma deixou flores no corredor da nossa nova casa, e um bilhete dizendo o quanto elas estavam tristes por termos precisado interromper a viagem e perguntando se tínhamos certeza absoluta de que não precisávamos da casa de volta, e como as circunstâncias de nosso retorno deviam ser horríveis. Meus pais não paravam de falar que a Sra. Killealy e sua filha pareciam ser ótimas pessoas.

Meu novo quarto temporário era tão vazio que fazia eco. Meus moletons estavam guardados em algum depósito. Eu não tinha nem um cardigã. Passei pela minha antiga casa e olhei para minha janela, tentando vê-la. Espiei a casa de Oscar e Stevie, e olhei também a nossa cerejeira e a janela de Oscar, que estava com as cortinas fechadas e a luz apagada. A tristeza da ausência dele era como uma grande pedra, e tive de virar o rosto.

A DÉCIMA QUARTA FATIA

Barney me pediu para começar do começo.

— O começo de quê? — perguntei.

— Tente pensar em quando as coisas começaram a dar errado — disse ele. — Volte ao momento em que você entrou nesse caminho, esse caminho no qual você, um garoto excelente e encantador, considerou uma boa opção se afogar no mar. Pense um pouco antes de começar a falar. Tenho muito tempo.

E então ele andou pela sala de estar atravancada, que tinha no centro um enorme sofá quebrado e mole, sentou-se em uma grande poltrona bem ao lado dele e olhou direto para mim. Barney não tinha computador, telefone, iPad nem mesmo televisão, pelo que eu estava vendo. Torres de livros empoeirados nos cercavam.

Senti algo que não sentia havia muito tempo. Algo tranquilo e difícil de definir, mas era a sensação que você tem quando alguém está escutando. Escutando de verdade, com atenção. E isso faz com que você tenha vontade de contar as coisas exatamente da forma certa. Faz com que você queira ir com calma, explicar e acertar.

Eu contei o quanto sentia saudades de Meg, mas também que Paloma Killealy era uma ótima vizinha recém-chegada, e que todo mundo gostava de tê-la por perto, que seu cabelo era bonito e que todo mundo a achava linda.

— Tudo bem, então vamos começar com Paloma — sugeriu ele, o que considerei um ponto tão bom quanto qualquer outro.

— Posso ter ensinado a ela muitas coisas que tenho facilidade de explicar, mas ela também me ensinou muito. Em particular, o que mais me vem à cabeça é o que ela mencionou a princípio sobre uma coisa chamada A Proporção. É uma coisa útil que todos deveriam saber. Se não fosse por ela, eu nunca teria descoberto.

— A Proporção? — disse Barney, montando um pequeno fogo na lareira com calma, empilhando devagar galhos e depois equilibrando um grande bloco de madeira por cima.

— Sim — respondi. — A Proporção. Paloma sabia disso porque tinha se mudado um total de sete vezes desde que entrou na escola. Você aprende coisas quando se muda tanto assim. Nem todo mundo conhece A Proporção, mas é sempre a mesma, não importa a escola que você frequente.

Paloma dizia que era meio que uma regra universal. Alguém que já tivesse frequentado uma escola, tipo, na vida, deveria ter alguma noção, alguma vaga ideia de que isso existe.

Para qualquer turma de tamanho médio, funciona mais ou menos assim:

Normalmente há quatro ou cinco alfas: os populares, gente como Andy e Greg, disse ela. Eles andam em câmera lenta, como astronautas, e nunca precisam sair do caminho de ninguém. Seus armários ficam sempre mais perto da porta. Eles não precisam esperar na fila, e todo mundo olha para eles quando passam. Cada um dos alfas tem um ou dois parasitas. Ninguém entende muito bem o que os parasitas ganham com isso, mas eles são fiéis e leais de um jeito que os alfas nunca parecem merecer.

Os invisíveis são outro grupo: mais ou menos sete pessoas inteligentes, decentes, quietas e boas em quem ninguém presta muita atenção e cujos nomes Paloma previa que todo mundo esqueceria um ano depois de sair da escola. E os "atléticos" são cinco almas alegres que nunca parecem notar o submundo que espreita como um réptil atento em todas as turmas. Eles participam de maratonas, dias de roupas casuais e eventos criados para fazer a escola parecer um lugar benéfico, simples, feliz e descomplicado.

Há três ou quatro grandes bagunceiros cuja sequência na escala muda diariamente: eles perdem popularidade em uma fração de segundo se atirarem uma bola de cuspe em algum alvo, mas acertarem sem querer Andy Fewer.

Há uma pequena quantidade de excêntricos: o grupo meio punk, que usa delineador, camisetas, cabelo cor-de-rosa, botas pretas, escreve em cadernos e ouve música, sem nunca ter certeza de que se encaixa ali ou se algum dia quer se sentir encaixado.

E é basicamente isso. Tirando mais um. Um outro. O mais inferior. Ninguém quer fazer parte desse patético clubinho de uma pessoa só, mas alguém sempre faz.

— Parece complicado — concluí.

— E é mesmo — respondeu ela. — Conhecer A Proporção é fundamental — alegou.

— É? — perguntei. Falei que a nossa turma não era assim. Todo mundo se dava bem com todo mundo. Não tínhamos excêntricos, e certamente ninguém era o "inferior".

— Ah, têm sim — disse ela. — E se não têm, vão ter.

— Tem certeza?

— Tenho — respondeu.

Enquanto conversávamos, comecei a temer não estar percebendo alguma coisa. Sugeri várias vezes que talvez A Proporção existisse em outros lugares, como os que ela tinha morado, mas não via nenhuma evidência daquilo ali. E lembro que ela tirou uma tira lisa de chiclete do papel-alumínio e a apontou para mim como se fosse uma varinha, para ajudar a enfatizar a parte seguinte da lição.

— Oscar, você está errado. A Proporção existe em todo lugar. Você precisa questionar todas as coisas que considera verdadeiras. Existem impressões superficiais e existe a realidade que fica sob a superfície. Alguém como você pode ser inocente o suficiente para achar que estudar matemática, inglês, ciência, geografia e história é a coisa mais importante para se dar bem na escola. Deve ser o que lhe disseram.

"Mas me escute, Oscar, estou lhe fazendo um favor enorme ao contar o que sei: é muito, mas muito mais importante estudar A Proporção. É isso que você precisa realmente entender. É onde está o poder: tudo depende de quem você pode se dar ao luxo de irritar, e quem não pode. Onde você está, e qual é a probabilidade de mudar. Quão estável é a sua posição. No momento, isso está em aberto para mim porque é o começo, porque sou nova.

"Talvez você ache que uma conversa casual com uma pessoa de aparência inofensiva não tenha importância, mas é preciso ter muito cuidado. As decisões que você toma fazem diferença. Fazem muita diferença. E, se você afundar demais, é difícil voltar.

"Ninguém vai conseguir ajudá-lo se você ficar preso na categoria errada. Olhe para mim, Oscar — disse ela, segurando-me pelos ombros. Senti seus dedos finos meio que afundarem em mim. Ela falava como se aquilo fosse a coisa mais importante que eu poderia aprender na vida.

"Essas coisas *não* se resolvem sozinhas. Isso não vai passar. Preste atenção. Preste *muita* atenção. Estamos falando do resto da sua *vida*. Não é algo simples."

— Então, você está estudando A Proporção agora? Já colocou todo mundo em uma das suas categorias?

— Eu? Nossa, não, Oscar — respondeu Paloma, usando um tom antiquado e erguendo as sobrancelhas perfeitas em um arco alto e indignado. — Estou falando da ordem mundial. Não fui *eu* que inventei isso! Qual é, eu não me colocaria no papel de rotular ninguém desse jeito. Só estou dizendo o que as pessoas fazem. Mas eu? Você ainda não me conhece a esta altura? Não vê que só quero ser amiga de todo mundo?

* * *

Barney disse que, na opinião dele, algo como A Proporção só existia se as pessoas acreditassem nela.

— Eu sei — respondi. — Quero dizer, eu também pensava totalmente assim. A princípio, achei que ela estava errada. Achei que estava aplicando regras aleatórias a seu novo ambiente, do mesmo jeito que tinha feito quando achou que garotos deviam levar garotas ao Energiser, e coisas desse tipo. Eu sempre dizia que A Proporção não existia aqui, mas ela sempre respondia que existia, sim. Estava em todo lugar, afirmava; é basicamente o jeito que os seres humanos funcionam.

"E, sabe, Barney, no final das contas ela estava certa. Acabou que havia uma vaga para a Pessoa Inferior, e logo depois que ela me explicou isso, quem a preencheu fui eu. Eu devia ser a pessoa mais ingênua do planeta por achar que me dava bem com todo mundo, por gostar das pessoas da minha turma e presumir que gostavam de mim. Mas, de alguma maneira, nossa ligação uns com os outros foi danificada e envenenada. É estranho, mas logo depois que Paloma me falou da Proporção, comecei a notá-la. Sabe, Barney, coincidentemente, foi bem aí que tudo começou a dar errado."

— Para mim, não parece coincidência.

* * *

Barney me avisou que todo mundo deveria estar preocupado. Mas nessa hora eu coloquei a cabeça entre as mãos e falei:

— Por favor, por favor, não me faça voltar.

Foi quando ele disse que eu podia ficar o tempo que quisesse.

— Não há a menor pressa, meu caro rapaz — garantiu-me.

Então passei a morar na casa dele, que era a mais bagunçada das que eu já tinha estado na vida.

Depois de algumas noites, eu me acostumei a ouvi-lo sair de madrugada quando achava que eu estava dormindo, e de manhã ele sempre tinha novas informações; não que eu ficasse animado de ouvir algumas delas, pois eram sobre pôsteres com meu rosto e matérias de jornal sobre meu desaparecimento. Mas fiquei interessado pelo Dia de Oração por Oscar Dunleavy. Barney me contou que minha turma inteira estava bem na frente, e que todo mundo dissera que era horrível eu ter partido.

— Ah, sei — falei, tentando parecer desinteressado. — E você ouviu mais alguma coisa?

— Sim. Ouvi que todos gostavam imensamente de você.

— É — falei. — Talvez algumas pessoas gostassem. Talvez estivessem falando do passado, antes de tudo mudar. Enfim, é mais fácil gostarem de você depois que morre. É uma pena que nenhum deles tenha conseguido gostar de mim quando importava, quando eu estava vivo.

— Você ainda está vivo, Oscar. Não está morto. Esqueceu?

— Olhe, não quero debater se estou vivo ou morto, e não quero falar da minha antiga vida. Não quero falar sobre nada disso.

— Por que não?

— Porque tenho vergonha.

A DÉCIMA QUINTA FATIA

Nas semanas seguintes, tentei confrontar Paloma Killealy, mas não era preciso ser um gênio para perceber que ela tentava me evitar. Eu e ela estávamos no mesmo ano, na mesma escola. Andávamos pelos mesmos corredores, passávamos pelas mesmas portas, comíamos no mesmo refeitório. Parecia impossível não ficar cara a cara com ela. Mas, desde a missa de Oscar, não fiquei. Eu só podia imaginar que ela estava me evitando de propósito, e não podia culpá-la. Eu também teria me evitado se pudesse.

Agora, minha única conexão com Oscar era Stevie. Ele me fazia sorrir, sobretudo por ser a única pessoa que continuava acreditando que o irmão estava vivo.

Conforme os dias passaram, senti a necessidade de me aproximar daquela esperança gigantesca que Stevie tinha dentro de seu pequeno corpo. Às vezes eu passava lá, e o pai deles abria a porta para mim. Mas, outras vezes, eu ia lá bem tarde, quando sabia que Stevie estaria no quarto, com sua vela sempre dançando na janela. Eu batia no vidro, e acabávamos conversando por horas.

Já fazia quase um mês que eu chegara quando mamãe me pegou voltando sorrateiramente para casa à noite em um dia de semana, e claro que quis saber o que eu estava fazendo, onde tinha estado e o que andava tramando. Antes que eu tivesse a chance de responder, ela disse que estava tarde demais sequer para pensar em falar adequadamente sobre aquilo, mas que no dia seguinte, eu, ela e meu pai teríamos uma conversa séria.

Falei com Stevie pelo Snapchat para contar que tinha me dado mal por sair escondida de casa, e ele disse que levaria a culpa por mim se eu quisesse.

Mamãe alertou que minha necessidade obsessiva de conversar com Stevie não era benéfica para nenhum de nós dois, e que eu precisava falar com o terapeuta da escola, e que, se eu não resolvesse isso, ela mesma ligaria para o Sr. O'Leary, então falei OK, OK, pode deixar.

O cartaz no quadro de avisos do lado de fora do Salão Lilás dizia:

QUEM PRECISAR DE APOIO EMOCIONAL/PSICOLÓGICO POR CAUSA DA TRAGÉDIA COM OSCAR DUNLEAVY PODE SE INSCREVER PARA UMA SESSÃO DE TERAPIA NO SALÃO LILÁS, COM A SRTA. KATY COLLOPY, PSICÓLOGA.

SESSÕES DE 1 HORA ÀS TERÇAS-FEIRAS DAS 10 ÀS 14H. ATENDIMENTO POR ORDEM DE CHEGADA

O Sr. O'Leary e a Sra. Stockett me disseram o quão útil Katy Collopy provavelmente seria. Ela fora contratada depois do desaparecimento de Oscar para ajudar os alunos a "processar seus sentimentos" em relação à situação, e já tinha oferecido um grande apoio a muita gente da turma, muitos dos quais estavam compreensivelmente tristes por causa do sumiço de Oscar.

Aquele barulho aquoso estava em minha mente de novo, dessa vez acompanhado por batidas, e ainda que a princípio eu não tivesse a intenção de conversar com nenhum orientador nem com ninguém, a última coisa que queria era que mamãe aparecesse na escola e conversasse com os outros sobre mim e a minha condição emocional.

Na aula de química, o Sr. Grimes agia como se a vida devesse voltar ao normal, e todo mundo estava se preparando para explorar as propriedades de reação ao calor do alumínio usando latas vazias. As pessoas estavam animadas de um jeito desproporcional. Raymond Daly debruçou-se sobre nossos materiais de preparo e sussurrou para mim que Paloma Killealy fora a primeira a se inscrever para uma sessão com Katy Collopy. Depois disso, não consegui mais esperar, então empurrei minha cadeira e saí da sala sem pedir permissão. Ninguém gritou meu nome nem me perguntou aonde eu pensava que estava indo. Atravessei o corredor claro, cujas portas duplas davam para a quadra de basquete. Comecei a correr, indo direto até o Salão Lilás para olhar o papel de inscrições com meus próprios olhos. Raymond Daly estava certo. O nome da Paloma fora escrito cuidadosamente na primeira linha:

Paloma Killealy

Até sua assinatura era bonita, alta, fluida e suave.

Então eu a vi saindo, com um lenço pressionado contra a boca e a cabeça baixa. Tentei dar uma boa olhada, já que só a vira a distância até então. Ficamos frente a frente por alguns segundos. Ela olhou para além de mim, depois se afastou com seu jeito misterioso e uma sombra de tristeza sobre o rosto irritantemente lindo.

Eu me sentei na cadeira de espera, olhando-a até que desaparecesse. Não ia gritar *ei, Paloma, Paloma, venha aqui que eu quero falar com você.* Porque eu já estava me sentindo mal o suficiente.

A porta do Salão Lilás se abriu.

— Meg? Oi, Meg. Entre — disse Katy Collopy.

* * *

Havia pufes por toda a sala e prateleiras de vime cheias de livros com fotos de crianças malvestidas. Os livros tinham títulos como *Como eu posso ser eu?* e *Conversando com seu filho adolescente.*

Era meio sombrio. Várias velas elétricas falsas na estante, com suas chamas de mentira pulsando e lançando sombras assustadoras nas paredes.

Katy Collopy deu um sorriso cuidadoso e puxou com cuidado um enorme pufe vermelho, empurrando-o para mim com o pé. Nele, estava o formato perfeito de Paloma Killealy.

— OK, Meg, primeiro você precisa relaxar, ficar confortável. — Eu me sentei com um gigantesco estrondo, esmagando a silhueta daquela garota. — Diga — falou ela depois de um silêncio imenso e desconfortável. — Você conhecia Oscar Dunleavy?

— Se eu o conhecia? Como assim se eu o conhecia?

— Você falava com ele? Ele era alguém que você conhecia?

— Eu sou a melhor amiga do Oscar Dunleavy.

— Ah — disse ela, olhando para um caderno amarelo e o folheando. — Era?

— Sim. Sou e estou aqui para ver se você pode me ajudar a entender o que preciso fazer se quiser encontrá-lo.

— Bem, Meg — disse Katy, e sua voz ficou grave e inesperadamente severa. — Não sei se essa seria a melhor forma de empregarmos nosso tempo. Acho que seria melhor se nós conversássemos sobre o que está acontecendo na sua cabeça, o que você está pensando, Meg, o que você está sentindo.

"Acho que a última coisa de que você precisa é sair em uma busca desenfreada pelo Oscar, porque todos nós sabemos que seria inútil, não é? Então, Meg, vamos lá, acho que seria proveitoso para você conversar comigo sobre as suas emoções."

Olhei para o rosto dela.

— Bom, sabe, Oscar sumiu. Desapareceu. E eu sou amiga dele, quero dizer, era, quero dizer, sou. Era eu quem sabia tudo sobre ele, mas por algum motivo é com Paloma que todo mundo está preocupado e tomando cuidado, como se eu nunca tivesse existido, como se eu e Oscar fôssemos algo sem importância que nunca tivesse significado nada. É como se Paloma Killealy morasse aqui desde sempre e eu nunca tivesse existido. E além de tudo, ela se mudou para a minha casa, meu *quarto*, e à noite ela dorme na minha *cama*.

"Quem esteve naquele quarto sempre fui eu. Aquela é a *minha* janela. Aquelas eram as *nossas* conversas. Elas não pertenciam a mais ninguém."

* * *

Contei a Katy Collopy que tinha começado a ouvir sons de água na minha mente e que toda noite eu sonhava com o poste de amarração, a bicicleta molhada e os sapatos encharcados de Oscar. E às vezes sonhava que aquele poste falava. Como se ele dissesse algo bem baixinho. Se eu conseguisse me aproximar o suficiente, conseguiria ouvir.

Pigarreando de um jeito elegante, ela disse que ouvir o barulho de água e sonhar com o poste representavam algo importante e compreensível. Explicou que tentar entender o mistério dos últimos momentos de Oscar devia ser tão importante para mim que eu tinha começado a *desejar* que a pedra, que fora a única testemunha da agonia dele, pudesse falar comigo. E disse que, às vezes, quando você deseja muito alguma coisa, ela pode se tornar realidade dentro da sua cabeça, e pode parecer real.

Falei para a Katy Collopy que, se a teoria dela estivesse correta, muitas outras coisas estariam se tornando realidade dentro da minha cabeça, e seriam muito melhores que uma grande pedra sussurrando coisas para mim no meio da noite.

— Vocês ainda eram amigos quando ele morreu? — perguntou ela, ainda parecendo meio confusa.

— Olhe, primeiro, ninguém tem nenhuma prova de que ele está morto, então eu gostaria que você parasse de dizer isso, OK? — falei. — E em segundo lugar, pergunte a qualquer um da minha turma, e vão lhe dizer que eu e ele éramos melhores amigos. Fomos melhores amigos por anos.

— Nossa, tudo bem, vou aceitar a sua palavra. Continue, então, siga em frente, conte o que está pensando.

Katy era bonita e tinha uma pele perfeita. De repente, tive a forte sensação de que nenhum sofrimento jamais resvalara nos cantos iluminados de sua vida. Olhei para seus olhos límpidos, e a parte branca era muito branca, quase azul, e seus cílios eram curvos e perfeitos. Acho que foi algo nos cílios dela que me fez perceber que aquela conversa era uma grande perda de tempo. Katy nunca seria capaz de ajudar.

— Meg, eu entendo, de verdade. Sobretudo agora que você me contou que Oscar era seu melhor amigo.

— Ele *é* meu melhor amigo, já falei mil vezes. Nós dois somos muito íntimos. Mas, enfim, Oscar é amigo de todo mundo. Pergunte para qualquer um da minha turma. Vão lhe dizer as mesmas coisas que eu. Vão dizer que ele é incrível, que todo mundo o adora, que não existe uma única pessoa que não goste dele. E não é só na minha turma. Ele é o garoto mais popular da escola inteira.

Um longo silêncio cresceu entre nós, como uma bolha.

Ela balançou de leve a cabeça e abriu um sorriso triste com o rosto contraído.

— Por quanto tempo você ficou afastada, Meg? — perguntou ela, e eu contei. — E com que frequência você falava com Oscar durante esse período?

Falei que, no começo, todos os dias, mas quase nunca no final, e uma nova onda de culpa secreta estourou sobre mim. Eu quis saber por que ela estava fazendo tantas perguntas.

— Porque, Meg, nada disso corresponde às coisas que ouvi sobre Oscar.

— Como assim? — perguntei.

— Oscar tinha se tornado um garoto muito infeliz.

— Ele não era infeliz. Ele estava bem.

— Ah, querida — disse ela, inclinando-se à frente apoiada nos cotovelos. — Ele era profundamente perturbado e deprimido.

— Não era, não! Ele era feliz, despreocupado e cheio de alegria.

— Era? Tem certeza? Os fatos sugerem o contrário.

— Os fatos? Que fatos?

— A falta da mãe. O desemprego do pai. A deficiência do irmão. Tudo isso por si só já representa um contexto muito complicado de dificuldades, na minha opinião.

— OK, olhando por esse ângulo, quando você junta essas coisas, parece ruim, mas... ele me contava tudo. Se fosse se *matar*, meu Deus, se ele fosse fazer *isso*, eu sei que teria conversado comigo, teria me contado antes.

— Tem certeza, Meg? Estou tentando fazê-la pensar racionalmente, parar de se apegar a uma falsa esperança em um momento em que precisa tentar aceitar isto. Essa atitude não a está ajudando.

Eu estava cansada de conversar. Olhei pela janela e tentei pensar em outra coisa.

— Meg — continuou Katy Collopy, pigarreando outra vez para mais um anúncio importante. — Acho que está na hora de você saber algumas das coisas que aconteceram depois que foi embora. As pessoas tratavam Oscar muito mal. Eu soube que ele foi submetido a certa pressão. E estava guardando muitas coisas para si mesmo. É comum garotos adolescentes esconderem seus problemas, guardarem-nos dentro de si até que se tornem impossíveis de tolerar. Não acha que ele estava tentando parecer bem, evitando contar às pessoas as coisas que o estavam incomodando porque não queria que se preocupassem, porque queria que todo mundo fosse feliz?

De repente, eu me senti patética. Eu não tinha apenas declarado meu amor idiota por ele naquela carta idiota. Eram muitas outras coisas. Ter alugado seu ouvido com meus problemas triviais, quando o tempo todo ele estava carregando verdadeiros fardos na vida. Aquilo me fez me sentir uma imbecil.

Eu desejei mais do que nunca que ele voltasse pela porta, para eu poder dizer que sentia muito por sempre ter sido tão egoísta.

Katy ainda estava falando.

— Então veja bem, Meg, você não pode se esquecer das coisas que aconteceram na escola.

— Que coisas?

— O fato de a escola ter se tornado horrível para ele... as coisas que eu estava tentando explicar.

— Como sabe que ele não estava feliz na escola?

— Eu conversei com outras pessoas da turma.

— Quem? Com quem você conversou?

— Ah, meu Deus, Meg, eu sou uma psicóloga. Sabe que não posso revelar esse tipo de coisa a você, mas entenda que certas coisas são consideradas dificuldades de interação adolescente normal. Implicância e um pouco de zombaria. Frases cruéis pintadas em armários... coisas assim. Algumas pessoas são frágeis, embora possam não deixar transparecer. Pelo que entendi, o que começou como uma certa "zoação", acabou se tornando algo pior. Transformou-se em uma forma de humilhação tóxica. Não conseguimos identificar ninguém em particular como culpado. Às vezes essas coisas evoluem e, uma vez que se estabelecem, é difícil fazer alguma coisa a respeito.

— Você precisa me contar do que está falando — sussurrei. — Preciso que você explique. Eu sou amiga dele — falei, batendo no peito e tentando sem sucesso me levantar daquele pufe idiota, sentindo-me um besouro de barriga para cima. Fiquei em uma posição meio deitada e meio sentada, me sentindo impotente e idiota.

— Não existe lógica nas coisas que acontecem e causam esse tipo de situação, mas, no caso de Oscar, um dos principais causadores parece ter sido as tortas de maçã. Oscar fazia tortas de maçã, sabe.

— Eu *sei* que ele fazia. Claro que sei. O que isso tem a ver com o resto?

— Bom, ao que parece, algumas pessoas começaram a zombar dele porque ele as trouxe para a escola.

— Por que zombaram dele? Aquelas tortas de maçã eram deliciosas! E eram mágicas. Curavam as pessoas de todo tipo de coisa! Não consigo entender por que debochariam dele por causa disso.

Katy ergueu um de seus lindos indicadores e olhou para mim com muita atenção.

— Sabe, Meg, não foram apenas as tortas, teve mais uma coisa. Começou a circular um rumor de que Oscar estava se comportando de forma, digamos, bastante inapropriada.

— Como assim?

Então Katy Collopy me contou o boato que circulava, sobre Oscar estar usando seu telescópio para olhar o quarto de Paloma Killealy à noite, quando ela estava trocando de roupa. Ele começou a persegui-la, e as pessoas ficaram sabendo, e como todo mundo passara a gostar muito de Paloma, muita gente ficou do lado dela, querendo protegê-la. E também, como ninguém tinha como *provar* que Oscar era um assediador pervertido, começaram a atacar outras coisas nele, e as tortas de maçã se tornaram um alvo fácil, e foi essa a desculpa que todo mundo começou a usar para infernizar a vida dele: fazer pichações cruéis em seu armário, sussurrar sobre ele e começar uma campanha para impedi-lo de representar a escola no show de talentos.

— Então foi Paloma — concluí. — Eu *sabia*. Sabia que ela estava no centro disso. A suposta nova melhor amiga que aparentemente está devastada porque ele desapareceu estava o tempo todo espalhando mentiras idiotas sobre ele. Quem mais, quem mais estava envolvido? Quem mais o atormentou tanto que ele... ele... sumiu...?

— Por favor, Meg — disse Katy com sua voz irritantemente calma. — Este é um espaço confidencial. Como já disse a você, se começasse a revelar quem me disse o quê, estaria transgredindo uma das regras fundamentais da psicologia, e não pretendo fazer isso. O que contei foi em confidência porque acho que precisa saber que as coisas podem ser mais complicadas do que parecem.

"E outra coisa importante que você precisa ter em mente é que Paloma sofreu muito, e não quero que dificulte as coisas para ela. Ela foi muito corajosa, sabe. Você ficou sabendo como ela foi bem no show de talentos?"

Respondi que não.

— Sabe, quando Oscar desapareceu, alguém tinha de tomar o lugar dele. Paloma é uma designer incrível, e nós a persuadimos a participar. A princípio ela disse que não, que não conseguiria por causa do trauma de perder Oscar, mas no final, de forma impressionante, ela concordou. Ela inscreveu quatro roupas (até desfilou com uma delas) muito elegantes, graciosas e criativas. Fez um ótimo trabalho apresentando-se na frente dos juízes poucos dias depois do desaparecimento de Oscar. E não dava sequer para perceber como a perda dele a estava afetando. Para ser sincera, não dava para perceber o quanto ela estava triste. Todo mundo comentou isso.

— Talvez porque ela não estivesse triste — sugeri.

— Não seja boba. Paloma adorava Oscar. E Oscar a adorava. Disso eu tenho certeza absoluta. Eles ficaram muito íntimos. Não foi culpa dela ele ter desenvolvido um tipo de... interesse... mais... obsessivo por ela. Ela reconhece isso. Disse que já passou por essa situação. Parece que vários garotos já desenvolveram sentimentos muito fortes por ela.

— Ah, cale a boca — falei, quando finalmente consegui me levantar.

Um pequeno lampejo de algo furioso passou rapidamente pelo rosto de Katy, mas ela se recompôs, se acalmou e abriu um sorriso tenso, olhando para o relógio e dizendo que nosso tempo tinha acabado.

— Meg, talvez você queria voltar para mais uma ou duas sessões, mas, sendo sincera, não sei se posso oferecer muita ajuda — disse ela com frieza.

— Não — concordei. — Nem eu.

Katy continuou falando mais um pouco sobre como era uma terapeuta qualificada e como, na opinião profissional dela, a possibilidade de Oscar estar vivo era remota. Disse que minha esperança era uma "espécie de negação" e que, de acordo com sua experiência profissional, essa negação podia ser destrutiva.

— A esperança nunca é destrutiva — retruquei, tentando manter a voz sob controle. — A esperança é o que nos mantêm vivos. — Eu estava falando sério. Você precisa tanto de esperança quanto de ar e de água. Sem ela, todos poderíamos nos jogar do píer e cair no mar escuro lá embaixo.

Eu não conseguia mais falar, e estava com um pouco de medo do que Katy dissera. Ajeitei a roupa, que tinha subido enquanto eu estava sentada, conversando com ela.

— Continuo sem entender como toda essa bobagem pode tê-lo deixado tão infeliz. Como ele pode ter ficado tão desesperado só por causa de um monte de boatos idiotas, e em menos de seis meses?

Olhei para algumas das coisas frágeis dentro do cômodo: a mesa leve de vime que escorregava sempre que eu a tocava, os pontos luminosos que se refletiam do anel de diamante da Katy, disparando pela sala, o pufe desconfortável no qual era impossível se sentar.

E vi toda a situação como era: desajeitada, tensa e inútil. Conversar com uma completa desconhecida sobre coisas que eu não conseguia aguentar e nas quais não queria acreditar.

Katy disse que esperava que eu ficasse bem.

— Lembre-se, não é só porque ele era seu amigo que isto é culpa sua. Você não pode se considerar responsável. Não deve — instruiu ela. — Muita gente sabe como você está se sentindo, e todo mundo entende o que está acontecendo com você neste momento. — Eu duvidava muito, mas a hora tinha acabado e eu queria ir embora.

— Obrigada — falei. — Obrigada por dizer isso.

Voltei para a sala, meio paralisada, meio chocada e silenciada. A essa altura, o Sr. Grimes tinha conseguido fazer todo mundo acender os maçaricos científicos para o experimento que estava causando tanta animação mais cedo na aula.

Pequenas explosões impetuosas de chamas azuis diante de cada um lançavam uma luz estranha sobre os alunos da minha sala.

— Alguém aqui vai me dizer o que aconteceu, afinal de contas? Ele estava perfeitamente bem quando fui embora, e agora todos esses boatos idiotas foram espalhados, todo mundo o rejeitou e zombou dele e as pessoas acham que ele está *morto*? Qual é! — gritei, tentando me fazer ouvir acima dos estalos dos maçaricos.

Em um único instante perplexo, os óculos de proteção deles se voltaram para mim. E, de repente, não pareciam pessoas comuns. Pareciam demônios uniformizados com expressões assustadoras e rostos que eu não reconhecia.

A DÉCIMA SEXTA FATIA

— Do que você tem vergonha, meu caro rapaz? — perguntou Barney, com uma expressão perplexa.

— De muita coisa. De repente, a escola inteira começou a me achar um idiota. Parte disso foi porque as pessoas tiveram uma ideia errada sobre mim e Paloma, mas também teve a ver com o fato de eu ser um fracassado. Eu simplesmente não sabia até pouco tempo atrás. Todo mundo parou de querer ser meu amigo, incluindo Meg. Eu não a culpo nem nada. Se eu fosse ela, também não ia querer mais andar comigo.

"Meg me mandou uma carta explicando certas coisas, o que também fez com que eu me sentisse um idiota. Eu não conseguia tirá-las da cabeça. Tentei ignorar as coisas, mas foi difícil. A única pessoa que ainda falava comigo era Paloma, e mesmo que fosse meio estranha na escola, ela continuava sendo legal à noite quando conversávamos pela janela de Meg. Quero dizer, muito legal. Simpática e tal.

"As pessoas começaram a me odiar. Chegou a tal ponto que, sempre que alguém dizia o meu nome, era como se estivessem cuspindo algo ruim. E por um bom tempo fiquei sem saber por quê. Mas agora eu sei."

Barney disse que nenhum garoto merecia ser hostilizado dessa forma, sobretudo alguém como eu. Falar disso, e até pensar nisso, me dava a impressão de que eu ia começar a chorar, mas ele me garantiu que não precisávamos tocar no assunto se isso me deixava chateado.

Nós dois nos acostumamos um com o outro e a passar as tardes juntos. Ele tinha um enorme e antigo jardim nos fundos, e parecia que tudo na sua vida estava emaranhado e retorcido, e que ele não conseguia separar uma coisa da outra. A casa dele era nojenta.

Juntos, tentamos endireitar tudo. Barney não era pobre, embora parecesse. Ele tinha montes e mais montes de dinheiro amassado enfiado em uma pilha de latas de biscoito enferrujadas em um armário alto da cozinha. Disse que não tinha motivo para arrumar as coisas quando não havia visitas na casa, mas agora que eu estava ali, era hora de se recompor.

Falei que não havia necessidade de ter trabalho por minha causa.

— Não, não, eu preciso encarar a situação. Você é meu amuleto da sorte, e devo agir de acordo.

Fiquei atônito por alguém me associar à sorte, mas fiquei feliz por isso. Ele pediu uma caçamba e começou a jogar um monte de coisas fora.

Ele acendeu a lareira, que encheu a casa inteira de fumaça.

Disse que era bom estar arrumando as coisas e que Peggy teria detestado vê-lo tomar conta da casa tão mal. Peggy era sua esposa falecida. Havia fotos dela pela casa inteira. Ela tinha cabelos encaracolados e sorria em todas as fotos, com bochechas bonitas e redondas.

— Ela tem um rosto muito bonito — comentei, e ele assentiu algumas vezes e, sem olhar para mim, correu para a cozinha murmurando que precisava fazer chá. Eu o deixei ir sozinho.

Jornais amarelados e retorcidos estavam empilhados até o teto no corredor. A cozinha era incrustada de substâncias tão sólidas que era impossível saber o que já tinham sido.

Todas as portas que eu abria revelavam a mesma coisa. Montes e mais montes de lixo, equilibrados de forma tão instável que tornava perigoso andar por ali, sob o risco de ser soterrado por uma avalanche.

Embora Barney estivesse animado para arrumar tudo em minha homenagem, havia muita coisa que não queria jogar fora. Parecia que não se livrava de um único objeto ou pedaço de papel desde 1963. É isso o que se ganha por viver no passado, ele dizia.

Demoramos um pouco, mas Barney disse que podíamos usar o "depósito", que na verdade era um quarto cheio de porcarias, e aos poucos fizemos progresso, concordando que pilhas sujas de papel que haviam se fundido pela umidade e o tempo não eram úteis para ninguém e podiam ser jogadas fora. Depois de fazer isso, ele disse que tirara um peso da mente. Peggy o teria matado por deixar as coisas se acumularem daquele jeito.

Homer, que a princípio ficara desconfiado, latindo toda vez que ele adicionava alguma coisa à caçamba, acabou se acalmando. O cachorro adquiriu o hábito de dormir na minha cama, que montamos com almofadas, cobertores e travesseiros. Quando Barney sumia durante a noite, ele ia ficar comigo, e toda vez que eu me mexia, ele balançava o rabo, como se me dissesse que estava feliz por eu estar ali e me lembrasse de que não ia a lugar nenhum.

* * *

Em uma prateleira entre dois livros, encontrei um antigo pedaço de papel com uma receita chamada "Limonada da

Peggy" e disse que parecia ótima. Logo ele passou a chegar em casa toda noite com sacolas, e de manhã eu via que tinha comprado coisas como açúcar mascavo e limões, assim como os ingredientes que eu pedira para fazer tortas de maçã.

Havia um velho galpão soterrado nos fundos, de onde havíamos tirado um cortador de grama enferrujado. Levou um tempo, e não estou dizendo que ganharíamos uma competição de jardinagem, mas as coisas ficaram um pouco mais bonitas e arrumadas, menos confusas e não tão bagunçadas, e a caçamba foi preenchida de lixo.

De vez em quando, Barney tentava sugerir que as pessoas podiam estar sentindo a minha falta, e que aquele não era um lugar para um garoto que precisava de ajuda, mas eu dizia que estava perfeitamente bem.

— Não posso ir para casa — dizia minha voz toda vez que ele falava do quanto as pessoas deviam estar desesperadas com meu sumiço. Eu queria que as coisas fossem mais simples. Queria poder voltar para a minha janela, inclinar-me para fora e conversar com Meg, como fazia antes. Parte de mim me imaginava saindo da casa de Barney, descendo a longa colina e voltando para minha casa, como ele sugeria. Mas algumas pessoas não podem voltar para casa, e os motivos nunca são simples ou fáceis de esclarecer, e quando expliquei isso, ele disse que entendia.

Contei para Barney sobre o meu pai, que desde a morte da minha mãe tinha ficado cada vez mais quieto até me parecer que parara de falar completamente. Ao longo dos anos, ele caíra em um silêncio cinzento do qual eu sempre me perguntava se ele ia sair.

Tinha demorado um tempo para meu pai passar por sua metamorfose, mas, quando ela se completou, seus velhos amigos precisavam olhar duas vezes antes de cumprimentá-

-lo na rua. As pessoas pararam de reconhecê-lo em lojas, e até meus professores diziam "É o seu pai?" quando o viam parado no pátio da escola, me esperando com seu casaco desmazelado. Era constrangedor.

Mais tarde, quando comecei o ensino médio e passei a poder ir para casa de bicicleta, Stevie continuou na mesma. Quando ia buscá-lo, meu pai não falava com mais ninguém, nem mesmo quando as pessoas diziam oi. Ele ficava parado, com as mãos nos bolsos, sem sequer notar quando a chuva começava a cair, nem quando seu nariz, seu queixo e suas orelhas pingavam.

* * *

— Então está bem — disse Barney. — Vamos ter de fazer uma lista, e você, meu jovem, precisará de um plano. — Eu não queria fazer um plano, não sabia de nenhum plano que pudesse me tirar da situação em que estava, mas falei que ia continuar a ajudá-lo com a casa, e achei que aquele era um começo relativamente bom, considerando que até pouco tempo atrás eu estava em um estado de espírito horrível. E torci para podermos continuar arrumando e eu me tornar tão útil a ponto de ele se esquecer de ficar me pedindo para voltar para casa.

Contei a ele que o carro que meu pai comprara depois do acidente tinha, ao longo dos anos, ficado mais barulhento à medida que meu pai se tornava mais silencioso. Aquilo me deixava louco. Íamos para casa em meio a uma barulheira porque o cano de descarga estava solto, enquanto meu pai não dizia uma única palavra.

Eu tentara fazê-lo falar. Achava que, se conseguisse, talvez a nuvem que o seguia para todos os lugares pudesse se dissipar. Mal me lembrava do rosto da minha mãe, embora meu pai fizesse o melhor que podia em relação a isso. Em vez de ler histórias para mim antes de dormir, ele se sentava com o mesmo livro grosso todas as noites. Nele, não havia palavras. Apenas muitas fotos da minha mãe. E comecei a achar que o interior do meu pai era exatamente igual: sem palavras. Só fotos dela. Silenciosamente, ele virava as páginas até chegar no final, depois me dava um beijo na testa e desligava a luz. Fotos da sua mãe não são a mesma coisa que a sua mãe. Eu não conseguia me lembrar do cheiro dela, ou de sua aparência ao entrar num cômodo, ou de sua voz. Só me lembrava das fotos: coisas planas, paradas, sombrias.

Fiz o melhor que podia com o meu pai. Estava sempre pensando em coisas para dizer a ele, coisas que podiam fazê-lo rir. Coisas engraçadas que tinham acontecido na escola, informações interessantes que o professor nos ensinara, perguntas estranhas sobre as coisas do mundo.

Parecia que, quando meu pai perdeu a minha mãe, também perdeu sua voz. O lado positivo é que ele se tornara extremamente organizado. Como um fantasma, ele se movia em silêncio pela casa, mantendo as coisas em ordem.

* * *

Acabei contando a Barney praticamente tudo, não só sobre a carta de Meg, Paloma, Stevie, meu pai e seu silêncio, mas também sobre outras coisas. E como não havia televisão nem internet na casa de Barney, conversar era o que mais fazíamos. Barney era fumante, o que não me agradava muito, e, quando eu lhe disse, ele pediu várias desculpas e às vezes se retirava depois do chá, e eu o via parado no jardim, cercado por uma nuvem de fumaça semelhante a um halo.

Eu não tinha a intenção de falar sobre o fiasco das tortas de maçã, mas, como posso ter mencionado antes, Barney era um bom ouvinte.

* * *

A equipe de televisão fizera uma visita antecipada a nossa escola para planejar tudo. Eles estavam procurando histórias de alunos comuns, capazes de coisas incríveis.

— Aquele garoto transborda talento — dissera o Sr. O'Leary, quando levei uma torta um dia só porque meu pai tinha quebrado seu silêncio habitual para sugerir isso. Eu deveria demonstrar para todo mundo como elas eram preparadas, e eles mostrariam isso no programa. O engraçado foi que eu nem queria participar. Falei que era uma coisa normal, comum, e que eu não sabia se alguém sequer se interessaria. Falei que deviam procurar alguém com um talento mais óbvio para preencher a vaga. Mas não me davam ouvidos. E insistiam, então as gravações foram marcadas, avisos foram colocados na escola, e Paloma não falou muito comigo sobre isso depois que a decisão foi tomada.

A mãe dela foi até a escola e fez um certo escândalo, falando com o Sr. O'Leary em voz alta bem na frente de todo mundo.

— O que você tem na cabeça? A minha filha está entre as crianças mais talentosas do país, e essa seria uma oportunidade perfeita para ela, e você está dando a vaga para um nerd obcecado por culinária? Qual é, eu e você sabemos que esse não é o tipo de coisa que vai colocar esta escola no mapa. Na verdade, não é o tipo de coisa que vai servir para nada, a não ser para deixar você com uma imagem estranha. E tem uma garota extraordinária bem debaixo do seu nariz! Qual é, tenha um pouco de bom senso — criticou ela.

O Sr. O'Leary pediu à mãe de Paloma para ir embora porque ela não tinha o direito de falar assim, mas todo mundo ouvira, e depois que algo é dito, ninguém consegue fingir que não foi. Você pode até tentar, mas as palavras ficam na cabeça de todo mundo.

* * *

— Massa feita em casa: manteiga, farinha e açúcar, amassada lentamente, com as mãos frias. Maçãs Bramley, descascadas e fatiadas com cuidado, com uma faca extremamente afiada (nunca corte maçãs com uma faca cega; daria no mesmo usar uma colher); os pedaços devem ficar finos e planos. Canela amassada direto da casca, uma pitada de noz-moscada, marrom e pungente, ralada direto do grão inteiro.

Foi o que minha avó me ensinou.

— É preciso paciência e habilidade, e você precisa estar em um estado de espírito especial, mas sem os ingredientes certos, não faz muito sentido sequer começar. Seria melhor fazer outra coisa.

Sussurros e ruídos flutuavam no ar. Andy e Greg fizeram barulhos de pum no fundo da sala, embora estivessem gravando tudo. Paloma deu sua piscada lânguida e lenta. E alguns dos outros, como Christina Bracken e Paul Campion estouravam bolas de chiclete e olhavam de forma ameaçadora para a minha demonstração.

— Torta de maçã? Oscar, isso é bizarro — disse alguém lá do fundo, mas continuei com a demonstração.

— Shh, shh, gente, por favor, vamos respeitar Oscar e prestar atenção — dizia toda hora o Sr. O'Leary, como se fosse fazer alguma diferença, porque quando uma turma decide se voltar contra você, não há muito o que se possa fazer. — Vá em frente, Oscar, por favor, continue.

— Conseguir transformar alimentos diferentes em uma única coisa deliciosa é uma espécie de alquimia. Nem todo mundo reconhece isso.

— De fato — disse o Sr. O'Leary, lançando um olhar furioso para o resto da turma. — Nem todo mundo.

— Uma torta de maçã de tamanho normal deve servir com facilidade seis pessoas — continuei. Eu não queria estragar a gravação, e já tinha começado, então queria terminar.

"A manteiga deve ser amarelo-clara, fresca e sem sal. O açúcar precisa ser mascavo, do tipo úmido que desmorona quando você o coloca na mistura, assim. Viram?

"Mesmo depois de cozidas, as maçãs devem continuar um pouco firmes. A massa precisa ser extremamente leve para derreter no instante em que entrar na boca. Se você não tiver pressa e se concentrar bem, vai acabar fazendo isto!"

Peguei a torta que tinha preparado mais cedo.

— Ah, Oscar, que ótimo, ótimo mesmo. Agora vamos ouvir um pouco sobre as suas influências? Sua inspiração? As pessoas que lhe ensinaram o que sabe.

Na minha mente, vi o álbum de fotos da minha mãe que meu pai tinha, e pensei também na mãe dele, que era minha avó, e me enchi de tristeza como às vezes acontece quando você menos espera. Mas segui em frente.

— Em tudo o que fazemos é preciso respeitar a integridade das coisas, especialmente quando estamos cozinhando. — Eu tentei explicar. — Os ingredientes sempre devem manter uma ideia do que um dia foram, minha avó dizia. Ela já morreu, mas me lembro de tudo o que me ensinou. Ela me fez treinar por anos e anos, e embora eu fosse bem pequeno, ela nunca me dava moleza.

"'Ah, não é nada disso', dizia nas primeiras vezes em que tentei. E, mais tarde, 'Está melhor que da última vez, isso eu garanto', e por fim, 'Oscar, acho que você quase conseguiu!'

"Eu finalmente acertei, claro, porque não parei de tentar e não me deixei abater. Soube que tinha conseguido, mesmo antes da minha avó falar, assim que a tirei do forno, ao ver a aparência dourada, tostada, condimentada e quente. Minha vó pediu seu garfo de prata especial e, quando provou, bateu palmas e olhou nos meus olhos, dizendo: 'Oscar, meu menino querido!'. Uma hora depois ela estava morta. Parece que alegria demais no corpo de uma mulher frágil pode ser fatal. Foi o que o meu pai falou."

Ouvi risadas altas no fundo da sala.

— Não aguento isso. — Eu me ouvi falando, com a voz muito baixa porque parte de mim não queria que ninguém ouvisse. — O fato de que todo mundo precisa morrer ou ir embora no final. Não aguento pensar que provavelmente fui eu que matei a minha avó, mesmo que todo mundo tenha dito que não, mas por outro lado acho muito reconfortante que seus momentos finais tenham sido adoçados por açúcar mascavo, especiarias e o sabor de maçãs perfeitamente assadas.

A turma fazia silêncio nesse momento, mas os garotos estavam com as mãos sobre a boca. Eu olhei a sala.

— Obrigado, fim, muito obrigado — falei, para terminar o mais rápido possível.

Depois disso, a turma inteira caiu na gargalhada, e eu saí lentamente da sala, pegando a câmera de Andy e de Greg, sem olhar para ninguém. Tirei o cartão de memória da câmera, joguei-o no vaso e dei descarga.

Mais tarde, Paloma falou que queria ter corrido atrás de mim, mas não teria conseguido dizer nada, e eu ouvi o Sr. O'Leary dizendo: "Fiquem *quietos.* Ninguém se *mova* enquanto vou falar com Oscar. Estão me ouvindo?" Paloma me contou que, antes de o Sr. O'Leary sair da sala, ele disse a Andy e a Greg para não tentarem ir atrás de mim para recuperar seu precioso cartão de memória. Depois, os dois correram para a frente da sala, onde despedaçaram a minha torta de maçã e a enfiaram na boca. Paloma também me disse que mandou os dois pararem e deixarem um pouco para mim, mas eles a ignoraram.

— Ele quer que a gente coma — disseram eles. — Por que você acha que ele se deu ao trabalho de fazê-la?

Quando voltei, não restava mais nada.

Depois disso, passei a aula de matemática inteira encarando a parede à minha frente, sem olhar para ninguém nem dizer nada enquanto a Sra. Fortune fazia perguntas, mesmo que eu soubesse as respostas.

* * *

Mais tarde, quando estávamos voltando para casa juntos, Paloma me falou que eu deveria fazer tudo o que pudesse para esquecer a humilhação da torta de maçã.

Olhei para ela e, meio do nada, realmente vi o que todo mundo falava. Achei que, talvez, se conseguisse beijá-la, seria uma boa forma de esquecer Meg, o incidente da torta de maçã e tudo o mais.

E, quando chegamos na esquina da nossa rua, foi isso o que tentei fazer. Tentei beijar Paloma Killealy. Mas ela virou o rosto.

— Oscar, é tarde demais — disse ela. — Timing é tudo. Eu dei uma chance, e você a estragou. Paloma Killealy só dá uma chance às pessoas. Você não vai ter outra só porque mudou de ideia. Oscar, desculpe, mas não é assim que as coisas funcionam no meu mundo. E, de um jeito ou de outro, as coisas também estão mudando na Proporção. Achei que você era um dos garotos-alfa quando cheguei. Mas agora? Agora todos sabemos que não é. Eu só poderia sair com alguém do primeiro escalão, se é que você me entende.

Sei que ela pode ter soado fútil, mas na hora achei que estava certa. Era ela que entendia A Proporção, não eu. E, enquanto tentava se enturmar, não teria sido bom para ela cometer um erro terrível por minha causa e por causa das minhas tortas de maçã, e pelo fato de a turma meio que ter parado de me entender e tal. Eu compreendia.

Perguntei se podíamos continuar sendo amigos, e ela respondeu tipo "*Claro*, Oscar, *claro* que podemos, mas sugiro o seguinte: vamos continuar sendo amigos, mas, quando estivermos na escola, sejamos mais discretos com a nossa amizade, OK?"

Não me ocorreu que uma amizade não deveria ter condições como as que Paloma de repente fazia questão de impor. Se você é amigo de alguém fora da escola, também deve ser amigo na escola. Mas ela foi muito resoluta em relação àquilo, então eu falei:

— Tudo bem, Paloma, como você quiser.

Pelo que Barney me disse, até onde ele entendia, amizade é tudo ou nada. Nunca deve ter qualificações, nunca deve precisar ser explicada ou desculpada.

— Era por isso que você queria pôr um fim na sua vida, Oscar? — perguntou.

Eu disse que não. E ele falou que eu precisava saber que a cidade estava criando teorias a meu respeito e que a maioria das pessoas provavelmente pensaria que era por causa da menina bonita.

— Como assim? — falei. E ele disse que o mundo adorava acreditar que garotos se matavam por causa de meninas bonitas que não os amavam, e eu disse que não era isso. Era outra coisa. — Foi uma coisa que aconteceu e que me impede de voltar.

— Você gostaria de me contar? — perguntou ele em um tom delicado, mas novamente disse que não havia pressão. E falei que sim, gostaria.

* * *

Algumas noites antes da demonstração da torta de maçã, a mãe de Paloma foi à minha casa para se apresentar ao meu pai, e praticamente se *jogou* em cima dele. A princípio ele mal olhou para ela e não falou quase nada enquanto ela fazia mil perguntas, e eu pensava comigo mesmo: "Pai, será que você poderia, por favor, se comportar como uma pessoa normal?" Mas, na segunda vez em que ela apareceu, ele estava um pouco mais falante, e, na terceira, mencionou depois que ela parecia ser uma ótima pessoa.

Mas, Barney, agora posso dizer: jamais gostei muito da cara dela. Ela suspirava alto toda vez que via Stevie, como se ele fosse a imagem mais triste que já tivesse visto.

— Ele já nasceu de cadeira de rodas? — perguntou ela como se ele não estivesse bem ali.

— Não — respondi, tentando ser útil. — Não nasceu. Na verdade, ninguém nasce de cadeira de rodas. Você compra a cadeira se precisar, depois de nascer. — E ela achou aquela a coisa mais hilária que já tinha ouvido, porque riu por muito mais tempo do que alguém deveria rir de algo.

Então ela disse:

— Bill, você tem de ir jantar lá em casa. — Mas meu pai disse que não, obrigado, pois não gostava de deixar os meninos sozinhos à noite. E ela disse: — Já sei! — Como se tivesse tido a melhor ideia de todos os tempos. — Eu trago o jantar para cá! Basta escolher a noite e eu faço o resto!

Meu pai murmurou algo em voz baixa, depois falou:

— Então tá. Passe seu telefone que lhe mando uma mensagem de texto.

Esse acabou sendo um erro imenso, porque ela fez questão de pegar o telefone dele também e mandou mensagens todos os dias durante uma semana. No final, ele se deu conta de que era impossível continuar a ignorá-la.

Na sexta-feira seguinte, ela saiu entrando com jantar para todos. Basicamente só ela falou. Até lavou os pratos. Quando achamos que tinha terminado, ela se convidou para voltar. E mal mencionou Paloma, exceto para dizer que ela estava estudando, o que era algo que eu nunca vira Paloma fazer, nem na escola, nem em casa.

Então, na vez seguinte, a Sra. Killealy apareceu com duas garrafas de champanhe com o jantar, e meu pai estava tão nervoso que bebeu como quem bebe água, e eles conversaram, conversaram e conversaram a noite toda.

Ela tinha opiniões fortes sobre como gerenciar um negócio:

— O único jeito de subir na vida é aniquilar seus rivais. Destruí-los. Acabar com eles do jeito que for preciso, esse é o truque.

Ela cintilava com diamantes nas orelhas, no pescoço e nos dedos. Cerrou os dentes em um sorriso agressivo e assentiu enquanto ia até as costas do meu pai, segurava os ombros dele e apertava com os dedos magros.

Ela rosnava enquanto falava e, sempre que queria dizer algo importante, inclinava-se para a frente, olhava nos olhos do meu pai e batia o punho ossudo na mesa para dar ênfase, chacoalhando o pimenteiro.

Eu juro que o sol já estava nascendo quando ela finalmente foi embora, e não sei sobre o que conversaram, mas sei que o meu pai estava chorando. Chorando na frente da mãe de Paloma Killealy que, no final das contas, era divorciada, algo que Paloma nunca tinha me contado. Já ficara óbvio que ela estava se jogando em cima do meu pai.

A princípio achei que aquilo era terrível, mas depois comecei a acreditar que talvez fosse bom. Minha mãe tinha morrido havia muito tempo. Àquela altura, meu pai conversava mais com a Sra. Killealy do que eu me lembrava de vê-lo conversando com alguém em anos. Não descobri exatamente do que estavam falando até tentar beijar Paloma, mas aí ela me contou. Sabe, Barney, tem um detalhe sobre a morte da minha mãe que nunca tinham me contado, e agora que sei, não posso voltar, e você não pode me forçar.

* * *

Barney disse que nem sonharia em me forçar a fazer alguma coisa, que eu tinha de fazer as coisas por vontade própria, e eu agradeci.

A DÉCIMA SÉTIMA FATIA

Quando você cresce perto do mar, existe uma espécie de magia que nunca o abandona. O prateado cintilante das manhãs salgadas fica dentro dos seus ossos. O chacoalhar das janelas em uma noite de inverno aguça seus sentidos. Sempre existe poder e dissimulação em um mar azul parado. Sou uma garota de uma cidade litorânea. Sei quão rapidamente a água tranquila pode se transformar em uma montanha negra e espumante.

* * *

Não podia ser coincidência, como algumas pessoas disseram. Paloma Killealy sem dúvida estava me evitando. Tentei confrontá-la várias vezes. Tinha um monte de perguntas para fazer. Precisava conversar sobre o tempo que ela havia passado com Oscar, os boatos que tinham sido espalhados sobre ele, e talvez entender tudo o que acontecera. Eu estava sempre correndo pela escola atrás dela, e naquele dia, depois de terminar minha sessão com a Katy Collopy, vi suas pernas esguias saindo às pressas pelos portões da escola e seus cabelos esvoaçantes como sempre.

Eu estava cansada de tentar encontrá-la. Depois da escola, mandei uma mensagem de texto para Stevie e disse que ia à casa dela.

Bom, era a minha casa para falar a verdade, mas eu não estava morando lá. Bati na porta com o punho, depois a esmurrei. Então ouvi aquele barulho familiar da minha própria porta da frente se abrindo, e Paloma apareceu.

Não consegui entender o significado da expressão dela: seus lábios estavam contraídos, sua testa, franzida, e os olhos, semiabertos, como se ela estivesse sob uma luz muito forte. Ela deu um passo para fora e me abraçou.

— Ah, Meg! — disse ela em um meio sussurro. — Estou tão *grata* por você ter vindo. Que gentileza a sua demonstrar seu apoio neste momento difícil. Eu fico muito agradecida, de verdade.

Eu esperava muitas coisas do meu primeiro encontro com Paloma Killealy, mas as duas coisas que não esperava eram afeição e gratidão.

Então ela me pegou pela mão, como se eu fosse uma criança pequena, me levou para dentro da minha própria cozinha e me convidou a sentar em uma das cadeiras da minha família, na mesa em que eu e Oscar tínhamos gravado nossos nomes sob a tampa quando éramos pequenos.

— Por favor, Paloma, por favor, conte o que aconteceu com ele — pedi.

Meu telefone começou a tocar, mas o desliguei.

* * *

Foi como ser hipnotizada, e era esquisito ser uma estranha na minha própria mesa. Paloma tinha um sorriso lindo e, ao olhar para ele, eu não conseguia imaginar que ela jamais desejaria fazer mal a ninguém.

Paloma me contou que havia feito o máximo possível. Tinha tentado protegê-lo das opiniões desfavoráveis dos outros.

— Eu fiz o melhor que pude para explicar algumas regras básicas... que ele não tinha conseguido entender por conta própria. Achei que podia dar uma orientação para ele, guiá-lo na direção certa. Mas ele não se ajudava. Fazia tortas de maçã. Quero dizer, sério, quem faz isso? Que outro garoto você conhece que sai por aí assando coisas em seu tempo livre? Isso não é normal. Andy e Greg gravaram uma apresentação muito boba da torta de maçã, ele falando sobre parentes mortos e tal. Os dois queriam colocar o vídeo no YouTube. Eu disse que achava que ele precisava deixar as tortas de maçã para lá. Disse que era incomum demais. Achei que estava fazendo um favor a ele.

Paloma me perguntou se eu gostaria de ir para a sala, depois me indicou o caminho como se eu não soubesse onde era. Ficamos na frente da lareira por um tempo, e ela não parou de falar do quanto era ligada a Oscar, de que o perdoava por sua esquisitice, de como ele fora um bom amigo de outras maneiras, de quanto ela sentia a falta dele e quanto realmente esperava que não fosse culpa dela.

Eu me odiei e odiei meu coração horrível e ciumento. De que adiantava ter ciúmes dela agora? Ela era linda. Oscar *estava* certo ao dizer que seu cabelo parecia seda dourada. A pele dela era tão lisa que reluzia. Começou a me parecer que nada daquilo era culpa dela. Eu não queria mais incomodá-la. Estava prestes a ir embora e dizer o quanto sentia por tê-la perturbado quando ela soltou um gritinho e disse:

— Ah, Meg. — E se afundou no sofá, começando a soluçar.

— Diga — falei. — Por que está chorando assim?

— Meg, sabe, *é* tudo culpa minha. Tenho vivido com isso esse tempo todo e não sei como falar sobre o assunto, porque, sabe, assim que todos souberem vão pensar muito mal de mim.

— Ela colocou a cabeça no meu colo e começou a soluçar. Acariciei seu cabelo dourado e sedoso com pena, porque ela realmente parecia muito triste, e pedi que explicasse.

— Oscar estava desesperada, profunda e devastadoramente apaixonado.

— Por quem?

— Por quem você acha? — Ela franziu um pouco a testa, tirou o cabelo do rosto e esticou seu longo pescoço.

— Não sei — respondi.

— Por *mim*, claro. Acho que parti o coração dele. Porque nunca haveria uma possibilidade entre mim e Oscar. Não sei se você ficou sabendo, mas eu e Andy estamos namorando agora. E, nossa, pobre de Oscar, eu sei que ele sentia algo por mim, era óbvio, mas... nunca imaginei que as consequências seriam... Meg, e depois ele começou a agir de forma meio estranha. Comecei a notar coisas nele. Quero dizer, ele era muito popular quando cheguei, mas no final das contas era um bizarro. Ele me assustava.

— Como assim?

— Ele me *olhava*... no meu quarto. Usava seu telescópio para tentar ver de perto. Invadia minha privacidade. Mas, olhe, eu entendo. Eu o perdoei.

— Você está inventando isso. Ou imaginou. Não parece coisa dele. Não do Oscar que eu conhecia.

— É, bom, pode perguntar a quem quiser. Não foi só comigo. Muita gente tinha começado a achá-lo estranho.

— Gente? Quem?

— Principalmente Andy e Greg, mas outras pessoas também. Eu tentei ensiná-lo. Tentei ajudá-lo, Meg. Tentei de verdade.

Uma onda me percorreu como se um vento cruel tivesse começado a soprar.

Todo mundo devia estar certo, afinal de contas. Oscar realmente podia estar morto. Morto de amor obsessivo por uma garota que não o amava de volta.

Quando me levantei para me despedir, nos abraçamos de novo à porta. Senti conforto e afeto. Até o cheiro dela era maravilhoso. Paloma Killealy cheirava a coisas como morangos, amêndoas e rosas. Cheiros bons, cheiros puros, coisas das quais era difícil desconfiar.

Mas, antes que eu virasse as costas para ir embora, senti um calafrio de algo flutuando entre nós. Algo secreto. Algo cruel.

* * *

Quando cheguei em casa e religuei meu telefone, vi sete chamadas perdidas de Stevie, então liguei de volta.

— Meg! — sussurrou ele. — Olhe, desculpe por estar ligando tão tarde, mas preciso contar uma coisa. É sobre Oscar. Ele não está morto, Meg. Ele não morreu!

— O quê? — sussurrei em resposta. — Como você sabe?

— Porque ele entrou em contato! — disse Stevie.

Prendi a respiração por alguns segundos.

— Em contato com você?

— Sim!

— Como?

— Eu deixo bilhetes para ele, lá no píer. No começo, não tinha um sistema apropriado. Escrevia um monte de coisas importantes naqueles pedaços de papel. Coisas que eu queria que ele me dissesse, ou coisas que queria que ele soubesse. Mas todos eram levados para o mar pelo vento. Então parei por um tempo, mas nos últimos dias escrevi mais alguns e os prendi na base do muro com uma pedra. Toda vez que eu verificava, os bilhetes continuavam lá. Eu estava começando a perder a esperança. Mas, hoje, quando fui lá, todos os bilhetes tinham sumido!! Ele voltou, Meg. Ele está em algum lugar por aqui. Pegou os bilhetes. Finalmente temos uma prova. Não é fantástico?!

Era difícil não ter esperança. Seria ótimo se Stevie estivesse certo, e por um segundo acreditei que estava. Queria acreditar. Quem não ia querer? Imaginei Oscar no píer outra vez, recolhendo os afetuosos bilhetes de Stevie e lendo-os, e também senti um peso sair das minhas costas.

Mas então outra coisa aconteceu. Grandes lágrimas escorreram pelo meu rosto, aterrissando no vidro da minha mesa de cabeceira com pequenas explosões transparentes e brilhantes.

— Stevie, está tarde. Vamos conversar sobre isso amanhã — falei. E, ouvindo-o falar, ofegante e feliz, desliguei o telefone. Se Oscar tivesse visto algum tipo de bilhete de Stevie preso desse jeito na ponta do píer, não teria continuado afastado. Simplesmente não fazia sentido. Um novo sentimento gélido me invadiu. Joguei meu celular do outro lado do quarto, como se fosse uma bomba prestes a explodir, mas ele simplesmente caiu no meio da minha cama com um baque surdo.

Katy Collopy tinha razão. Stevie estava preso em uma profunda negação por querer tanto que Oscar estivesse vivo, e sua esperança era tão forte e sólida quanto um objeto real. Minha própria esperança já estava desaparecendo, como se algo mais tivesse começado a morrer.

Era por causa das coisas que Paloma tinha me contado. Stevie continuava a desejar que seu irmão maravilhoso estivesse entre nós, mas tínhamos de aceitar que Oscar havia partido. Por causa de Paloma, da beleza dela e de sua paixão por ela. Não era culpa dela não sentir o mesmo. Não dá para controlar o que você sente. Mas o que ele sentia o destruíra. E agora, pensar nele se jogando do píer tinha uma lógica que eu nunca havia entendido antes.

Eu me vi encarando a morte de Oscar pela primeira vez. Era como tropeçar no primeiro degrau de uma escada que eu nunca tinha notado, e não conseguir me impedir de subir incansavelmente até o topo.

* * *

Logo depois disso, Paloma e a mãe entraram em contato com meus pais e disseram que iam desocupar nossa casa antes do planejado. Meus pais disseram que era muito atencioso da parte delas e que esperavam que não as estivéssemos colocando para fora. Elas responderam que de jeito nenhum, era o mínimo que podiam fazer e, de um jeito ou de outro, tinham encontrado um lugar "maravilhoso" para morar.

A mãe de Paloma tinha comprado uma casa de cinco quartos, embora só tivesse duas pessoas na família. Ficava perto do parque. Diziam que tinha uma quadra de tênis no quintal e uma piscina subterrânea.

* * *

Na escola, todo mundo parecia ter parado completamente de falar de Oscar. Um dia, fui mais cedo para limpar a pichação do armário dele, mas, quando cheguei, a pichação já tinha sumido porque a porta de seu armário fora arrancada, e alguém devia ter tirado o que quer que houvesse lá dentro, porque estava vazio.

Achei que voltar para a minha casa ajudaria. Imaginei que voltaria a me sentir normal e calma, mas não foi o que aconteceu. Para começar, eu não conseguia dormir no meu quarto em frente à janela vazia e silenciosa de Oscar. Nem precisei explicar. Meus pais me deixaram colocar o colchão de ar na sala, contra a parede mais próxima ao quarto de Stevie. Eu via sua vela, oscilando e tremeluzindo, nunca se apagando.

Bati com um galho velho na janela de Stevie, como o irmão dele fazia na minha, e vi sua sombra aproximar-se do peitoril — seu sorriso me lembrou tanto o de Oscar que achei que meu coração ia se partir.

O pai de Stevie me parou a caminho da escola um dia e disse o quanto apreciava que eu mantivesse a "tradição das janelas" viva, e como eu estava ajudando a manter Stevie alegre e feliz. Era bom... talvez mais ou menos como ser a irmã mais velha, ficando de olho nele daquele jeito, tentando fazer com que percebesse a tragédia que tinha acontecido com seu irmão sem deixar que isso o destruísse. Lembrei a Stevie sobre Paloma, que ela era linda e que Oscar gostava dela, e pensei que ele também estava entendendo, o que seria bom para ele. Conversávamos na janela, e eu dizia a mim mesma: "Se Oscar não vai voltar, pelo menos eu posso olhar Stevie e cuidar dele, porque tenho certeza de que é isso que Oscar teria desejado."

Nossas conversas eram muito boas até a noite em que ele chegou à janela e disse:

— Meg, você tem mentido para mim e quero que vá embora e nunca mais fale comigo.

A DÉCIMA OITAVA FATIA

Falei para Barney que, totalmente sem querer, Paloma me contou algo sobre a minha mãe, que já morreu. Ela tinha ouvido falar do terrível acidente que matara a minha mãe e ferira Stevie. E isso me fez perceber como eu era inútil.

Na escola, no dia seguinte ao que tentei beijá-la, Paloma tinha me chamado.

— Oscar, Oscar — gritara ela bem no meio do pátio. Corri até ela, que me pediu para contar para todo mundo o que eu tentara fazer no dia anterior, e claro que aquilo era particular, então eu não ia anunciar para o resto da turma, mas todo mundo se reuniu ali e Paloma disse: — Oscar Dunleavy tentou me *beijar* ontem à noite, não foi, Osc? — E algumas pessoas começaram a rir. Ri também porque não queria que a coisa ficasse feia.

Então ri um pouco mais, e ela também, depois se aproximou e sussurrou no meu ouvido:

— Viu, Oscar? Todo mundo está rindo de você agora. Você não achou mesmo que eu e você íamos ser... sabe, que poderia existir um "nós"? Não rola. Nunca rolaria.

Eu disse que por mim tudo bem, que sério, ela não precisava continuar falando sobre aquilo, mas Paloma só parava de falar quando queria.

— Eu só estava sendo legal com você — continuou ela. — E claro que sempre poderemos ser amigos.

— Você não precisa ser legal comigo se não quiser — falei.

— Ah, mas eu gosto de ser legal com você. Porque o acho muito bravo.

— Bravo? Como assim bravo? — perguntei.

— Corajoso. Forte. Eu nem posso imaginar como você deve ter se sentido culpado a vida toda.

— Culpado? Por que eu me sentiria culpado? — perguntei.

— Por causa de Stevie e da sua mãe — disse ela devagar. — Eu sinceramente não sei como você consegue continuar tão alegre. Você é resistente, Oscar... seguindo em frente depois do acidente de Stevie. Deve ser muito difícil conviver com a culpa — continuou ela, e seu jeito de falar estava cheio de um significado explosivo que eu ainda não entendia. — Sabe, vê-lo todos os dias na cadeira de rodas e saber, essa é a parte horrível, que foi você quem o colocou lá.

— Paloma, o que você está dizendo? Foi um acidente. Um acidente de carro. Bateram na gente... não foi nem culpa do homem.

— Sempre é culpa de alguém — rebateu ela, olhando atentamente para o meu rosto, e depois completou: — Oscar, você não precisa esconder de mim, porque eu sei. Minha mãe me contou. Ela teve uma longa conversa com o seu pai outro dia. Pobre de você, Osc. Esse é um fardo terrível de carregar, e só quero dizer que sinto um grande respeito por você estar tão bem quanto a isso, por não se deixar abater.

Eu disse que gostaria muito de ouvir as partes da história que meu pai tinha contado.

Então ela revelou. A história da minha família que ninguém nunca tinha se dado ao trabalho de mencionar para mim, ainda que eu tivesse tido o papel principal.

— Seu pai contou para a minha mãe que guardava sua tristeza havia muito tempo. Minha mãe sabe tirar informações das pessoas. Já vi como ela faz. Em geral, mantém a taça da pessoa cheia mesmo que ela não queria mais vinho, e consegue que lhe confessem partes da história de suas vidas que nunca confessaram a ninguém.

"Ele contou que você e a sua família estavam indo para Galway e que todo mundo estava feliz e animado por estar indo para a praia. O sol já estava brilhando forte porque vocês tinham saído tarde. Stevie estava preso na cadeirinha, e você cantava uma música que cantava sempre, e tinha só 6 anos, mas era sorridente e agitado do jeito que só crianças de 6 anos conseguem ser, e sua mãe estava dirigindo. Seu pai disse que não conseguia se lembrar por que não era ele quem estava dirigindo. Falou um pouco sobre o quanto você amava o seu irmão, mesmo naquela época, quando ele era bem pequeno, e contou para a minha mãe que Stevie devia estar entediado ou talvez com fome ou coisa assim, porque vocês tinham saído tarde. Seu pai continuou explicando que ele deveria ter dado o almoço *antes* de sair, mas foi ele que insistiu que vocês se apressassem. E seu pai tem certeza de que Stevie começou a esticar os braços para você, porque você disse: 'Mãe, pai, Stevie quer sair', e seu pai contou que falou várias vezes: 'Não importa o que Stevie faça, não o tire da cadeirinha até acharmos algum lugar para parar.' Quero dizer, vocês *iam* parar, mas estavam na estrada. Precisavam encontrar um lugar, sabe.

"Ele contou que a sua mãe continuou dirigindo e que ele estava distraído, olhando o mapa, quando virou para trás e viu você segurando Stevie no colo, e os dois estavam com sorrisos enormes como se tivessem feito alguma coisa genial e estivessem muito satisfeitos consigo mesmos. Assim que olhou para vocês, ele ofegou de susto, sabe, porque é muito perigoso para um bebê não ficar na cadeirinha. Então sua mãe olhou para trás, ficando igualmente chocada e tirando a atenção da estrada, fazendo o carro deslizar para o outro lado da via e bater em um caminhão. O motorista ficou devastado depois, mas não tinha sido culpa *dele*."

Paloma não tirou os olhos do meu rosto enquanto contava a história.

Eu estava tonto. Enjoado.

Eu queria Meg. Precisava falar com ela. Mas Meg não era mais minha amiga. Ela não gostava de mim porque eu era um idiota. Todo mundo da minha turma sabia disso. Paloma, melhor do que ninguém. Um idiota e um tolo. Um tolo que fazia tortas de maçã e que matou a própria mãe.

— Desculpe — sussurrei várias vezes para mim mesmo durante o resto daquele dia, embora devesse estar falando com Stevie. — Desculpe por ser o que sou. Desculpe pelo que fiz.

Paloma estava mudando diante dos meus olhos. Estava mais insensível, desagradável e cruel do que eu teria previsto, e pensei que, se pelo menos conseguisse ter uma conversa rápida com Meg, ela poderia me ajudar a organizar meus pensamentos.

Mas Meg não queria falar comigo. Ela havia seguido em frente. Não existia ninguém a quem eu pudesse recorrer. Ninguém que fosse ouvir ou entender, e entrei em pânico, Barney, porque esse é o tipo de sensação que aparece de repente você percebe que está sozinho.

Muitas coisas ruins se misturavam na minha mente. Tudo meio que desmoronou. Isso faz algum sentido, Barney?

Barney respondeu que, considerando o que eu tinha contado, fazia todo o sentido.

— Oscar, meu caro rapaz, espero que você entenda que, embora seja bem-vindo aqui, talvez precise repensar a estratégia que planejou sobre se esconder indefinidamente. Pode ser bom considerar voltar para casa em algum momento. Você está se sentindo mal por algo que não deveria lhe fazer sentir mal. E vai perceber isso se parar para pensar. Você precisa conversar com o seu pai sobre tudo.

— Não preciso, não. Não quero fazer nada — falei, colocando novamente a cabeça entre as mãos. Não olhei nem falei com ele por um tempo.

— Tudo bem, caro rapaz, talvez você só precise de um pouco mais de tempo — disse Barney.

— Não preciso de mais tempo. O tempo é inútil. Não vai melhorar as coisas, por mais que passe.

— Por que deixou Paloma falar com você e tratar você daquele jeito? — perguntou ele. — Acho que ela foi muito desagradável, cruel e dissimulada.

— Ah, talvez, não sei. Não acho que ela teve essa intenção. Eu só queria ser amigo dela. Não queria brigar. Queria manter a paz.

— Eu posso ser um velho tolo — disse Barney. — Mas me parece que aquela garota estava decidida a fazê-lo se sentir péssimo consigo mesmo. Uma coisa que aprendi é que nem toda paz é boa. A paz pode ser frágil e pode ser feia e pode ser errada. A paz construída sobre mentiras não é paz.

A DÉCIMA NONA FATIA

Entendi por que de repente Stevie não queria mais nada comigo. Eu o importunei por dias. Ele me dizia para ir embora, mas eu não ia. Continuava ligando, continuava batendo na sua janela e, no final, venci pelo cansaço.

— Por que, por que você não quer falar comigo? — perguntava, e nunca desistiria porque não queria perder Stevie também no meio disso tudo. Então, finalmente, ele me contou.

— O Sr. O'Leary, da nossa escola, veio aqui outro dia. Ele queria nos dar um pacote com as coisas que estavam no armário de Oscar. Achou que gostaríamos de ficar com elas. Era a minha chance de analisar algumas coisas dele em busca de provas e tal. Achei que ia ser útil.

"Mas o meu pai disse que eu não devia tocar em nada daquilo, que ele ia olhar quando estivesse pronto. Então guardou tudo na gaveta da cozinha... Mas ele é meu irmão. Tenho direito de ver as coisas que deixou para trás. Enfim, adivinha o que encontrei, Meg? O que acha que eu encontrei?

— Não sei — falei.

— Encontrei uma carta sua.

— Ah, meu Deus, Stevie. Ah, sinto muito — falei, sabendo ao que ele estava se referindo e vendo-o segurar o envelope com a minha caligrafia. — Estou muito envergonhada. Sabe, ele nunca deveria ter lido isso e, enfim, depois descobri que ele não sentia o mesmo que eu. Stevie, foi tudo um grande mal-entendido. Eu disse a ele para ignorar a carta. E ele ficou feliz por tirarmos a coisa toda da cabeça.

— Qualquer um ficaria feliz por ignorar uma carta como esta. O que você esperava?

— Sinceramente? Bom, acho que quando eu soube que ele tinha lido, meio que esperei que ele sentisse o mesmo. Não sei, talvez parte de mim torcesse para que ele concordasse comigo, sabe? Tivesse os mesmos sentimentos.

— Como você podia esperar que ele sentisse o mesmo que isso, Meg? — disse Stevie, prestes a chorar, e a esperança que eu sempre vira em seu rosto parecia que também o abandonara. — Você deve estar se sentindo muito mal agora que as coisas acabaram assim.

— Sim, essa é outra coisa que eu queria que não tivesse acontecido.

O rosto de Stevie estava contraído.

— Meg, como pôde fazer isso? Como você pôde dizer aquelas coisas para ele no momento em que ele mais precisava da sua amizade?

— Eu sei, Stevie, meus sentimentos por ele mudaram... É difícil explicar, e talvez você seja novo demais para entender.

De repente, algo não fazia sentido em Stevie e em toda sua irritação. Eu parei e olhei o envelope que ele segurava com força.

— Stevie, você poderia me mostrar a carta?

— Por quê? — disse ele, com os dentes cerrados sem olhar para mim. — Por que quer vê-la de novo? Você sabe o que está escrito. Sabe as palavras que digitou... mesmo sem querer que ele lesse, você as digitou.

— *Digitei?* Eu não digitei, Stevie, eu escrevi.

Ele olhou para mim outra vez, e eu olhei para ele, e ambos nos encaramos, furiosos e em silêncio.

— Stevie, por favor, me mostre.

Stevie alisou o envelope e me entregou. Eu o peguei. Ergui a aba amarrotada, puxei o bilhete e o abri. Tinha sido dobrado e desdobrado muitas vezes. Eu li o que dizia, e o que dizia não era *nada* que eu já tivesse escrito, nada que eu escreveria, nada em que acreditasse e nada que eu jamais diria. Quando terminei, minhas mãos trêmulas de raiva fizeram a carta chacoalhar entre nós.

Examinei o envelope em busca de sinais de adulteração; sem dúvida fora aberto e fechado muitas vezes. Havia dois pequenos rasgos reveladores na aba. Alguém tinha tirado a minha carta, substituído-a e escrito meu nome no final, ainda que fosse uma falsificação ruim e descuidada, porque minha letra não era nem de longe tão alongada e fluida quanto a assinatura para a qual agora eu olhava com meus próprios olhos.

— Stevie, eu juro, eu juro que nunca escrevi isto.

Os dedos e o rosto de Stevie tinham ficado pálidos, e seus lábios estavam contraídos. Ele parecia confuso, então comecei a falar devagar para ter certeza de que tinha entendido.

— Eu nunca escreveria nada parecido com isso para o seu irmão; está me ouvindo? Alguém pegou a minha carta... a que eu escrevi, e trocou por esta.

Então a ergui, longe do meu rosto como se pudesse causar mais danos do que já tinha causado.

— Quem poderia ter feito uma coisa dessas? — sussurrou Stevie.

Em um instante frio e esclarecedor, eu soube exatamente quem.

— Foi de propósito, não está vendo, Stevie? Paloma foi atrás do seu irmão. Acho que queria destruí-lo.

— Mas eu não entendo — disse Stevie. — Por que ia querer fazer isso?

— Para me manter afastada de Oscar, talvez. Para manter Oscar afastado de mim? Porque ela é puro ódio e maldade? Para fazer com que ele se sentisse sozinho, rejeitado, abandonado, tolo e humilhado?

De qualquer maneira, se ela tinha decidido fazer essas coisas, achei que havia sido bem-sucedida.

* * *

— É culpa dela — falei para Stevie. — De Paloma Killealy. Ela fez isso com ele, e o tempo todo fingiu ser amiga.

— O que ela poderia ter contra ele? — perguntou Stevie.

— A magia dele. A bondade. O charme. Ela tinha inveja dele, e era porque Oscar brilhava como uma estrela, e era ela quem queria brilhar. Paloma ficou furiosa com ele por não se apaixonar por ela, porque acha que o mundo deveria cair aos seus pés. E estava morrendo de raiva porque Oscar não caiu. Ela queria destroçá-lo e derrotá-lo. E pensou e planejou tudo isso com uma inteligência muito maligna.

"De propósito, ela virou todo mundo contra a ideia de que fazer tortas de maçã era algo bom, valioso e decente. Saiu sussurrando coisas sobre ele. Mentiras e insinuações que levaram todo mundo a achá-lo estranho. Ela fez com que todos se virassem contra ele, e a considero cem por cento responsável pelo que aconteceu, mas também foi culpa minha, Stevie.

"Quero dizer, se existe alguém capaz de impedir você de pular de um píer, esse alguém é um amigo seu, não acha? Essa é uma das razões *básicas* para a amizade."

* * *

— Abra a porta, eu sei que está aí — gritei até minha garganta doer. Quando Paloma abriu, ficou parada no vão da porta de sua enorme casa nova com o vento soprando no cabelo como se estivesse em um trailer de filme em câmera lenta, linda e com a pele perfeita. Eu segurava a carta diante de seus olhos arregalados. — É culpa sua — falei. — Tudo culpa sua. Por que você fez isso, Paloma? Porque tirou a minha carta e a trocou por outra totalmente diferente, cheia de mentiras, fingindo ser eu? Por que a forjou como se fosse minha, por que o humilhou e o fez se apaixonar por você? E agora ele se foi! Você o destruiu completamente, e o tirou de nós... do pai dele, cujo coração está partido; de Stevie, que só tinha um irmão e cuja mãe já está morta; de mim, que nunca mais vou ter alguém como ele, porque só existia um Oscar Dunleavy. Você é responsável por isso.

"E pelo visto eu tinha uma chance! Havia uma chance de ele ser feito para mim, e eu poderia ter sido feita para ele, e nunca vou saber, e não vou perdoá-la por isso, Paloma Killealy. Isto é culpa sua. Sempre será culpa sua."

Ela piscou devagar para mim e me encarou com uma expressão sonolenta, despreocupada e sem culpa.

— Não faço a menor ideia do que você está falando — disse ela. — Ninguém pode provar nada disso. Agora, por favor, vá embora. Obviamente, você está fora de si.

Eu tinha planejado machucá-la, embora não tivesse pensado nos detalhes. Mas percebi que seria inútil. Minha raiva era forte e causava uma sensação de poder em meu corpo, mas não tiraria Oscar das profundezas. Era tarde demais.

* * *

Eu não podia melhorar as coisas para ninguém e não conseguia pensar no que mais poderia fazer, então assei uma torta de maçã. Não ficou igual à de Oscar, mas foi o mais perto que consegui chegar. Eu a levei para a casa dos Dunleavy, e o pai de Oscar me abraçou e disse que eu era uma boa pessoa e que ele sabia que eu só estava fazendo o melhor que podia pelo Oscar, e Stevie veio direto para mim e também abraçou meus joelhos.

— Meggy, no caso de você achar que perdi as esperanças, saiba que não perdi. Ele ainda não está morto, ele está vivo, como sempre digo.

Mas o pai de Oscar definitivamente não acreditava mais nisso. Eu via pela expressão dele. Estava muito cansado. Devia ser melhor desistir. A esperança pode ser exaustiva.

* * *

"Se um dia você ficar confusa com alguma coisa", Oscar sempre dizia, "é uma boa ideia ir até o mar. As coisas parecem mais claras quando você está parada onde a água encontra a terra, ouve a maré subindo, e a pura enormidade desse oceano, imenso e salgado, conectando tudo com tudo o mais."

Sei que não é uma coisa muito normal (sair da cama no meio da noite e se esgueirar para fora de casa e se sentar na ponta de um píer, mas a essa altura o poste de amarração baixo parecia me chamar quase o tempo todo. Eu me lembrava de ter contado a Katy Collopy sobre o poste sussurrante, mas ela não tinha sido útil.

Eu sabia que não ia encontrá-lo de repente nem nada do tipo. Mas precisava ficar sozinha um pouco, perto de onde Oscar tinha desaparecido, quando estava quieto e ninguém viria me dizer para parar de me torturar ou que aquilo já tinha passado dos limites.

— Oscar, Oscaaaaar! — Eu sabia que gritar o nome dele não adiantaria nada, mas mesmo assim isso me fazia sentir melhor, ali no silêncio.

Ninguém consegue ouvir você no píer. É uma dessas coisas engraçadas. Não sei bem se é porque o porto cria um casulo de som, ou se o mar tem um efeito amortecedor, mas era algo que tínhamos descoberto havia muito tempo, Oscar e eu. Podíamos gritar segredos um para o outro no píer e ninguém nunca ouviria nada.

— Oscar, onde você se *meteu*? — gritei.

— Oscar, onde você está *agora*? — implorei.

— Por que você foi embora sem se despedir? — supliquei.

— Oscar, me desculpe — gritei.

— Oscar, volte — sussurrei.

Eu me sentei na ponta do píer, balançando as pernas e olhando a água lá embaixo.

— Acho que ele não consegue ouvi-la daqui — disse uma voz.

Eu me virei e me levantei rapidamente de maneira desajeitada. Havia um homem apoiado no poste, quieto e imóvel.

Acho que soltei algum tipo de som sobressaltado na hora, mas não me lembro.

— Sinto muitíssimo por tê-la perturbado.

— Perturbado? O que você esperava? Chegar de fininho perto de alguém assim no meio da noite?

— Não quero parecer pedante, mas, para ser sincero, foi você quem chegou de fininho perto de mim. Eu estava aqui primeiro. — Ele ligou uma lanterna, e tudo começou a cintilar em seu halo leitoso de luz.

Ele usava um terno leve. Era elegante, e suas mãos tinham uma aparência macia.

O homem se inclinou para a frente, olhando algo em suas mãos. Estava enrolando um chumaço de tabaco em um retângulo amassado de papel. Em seu dedo mindinho, um anel liso de ouro brilhava. Ele lambeu a extensão do pequeno pacote e o enrolou para prender, transformando-o, como que por mágica, em um bastão branco, reto e firme. Era uma atividade bonita e delicada, só que, no final, era apenas um cigarro.

Ele colocou as mãos em forma de concha ao redor de uma caixa de fósforos que tirara de algum bolso interno. Houve aquele assobio chiado que sempre acontece quando alguém acende um fósforo. Na extremidade de seu cigarro, um ponto laranja se avivou e amenizou e se avivou de novo conforme ele tragava.

Fiz o melhor que pude para agir como se nada no mundo estivesse me incomodando. É difícil recuperar a compostura depois de ser vista gritando o nome de seu melhor amigo provavelmente morto para a densa escuridão.

Ele não disse nenhuma das coisas que seria de imaginar que um adulto diria ao ver uma garota de pijama no meio da noite. Nada sobre o que eu pensava que estava fazendo, nada sobre o risco de pegar um resfriado grave, nada sobre o que meus pais diriam se soubessem.

Não estava ventando naquela noite, e o mar parecia um chão liso e polido. Do cigarro do homem, uma fina nuvem de fumaça azul flutuava para o céu.

— Por favor, volte a se sentar — disse ele. — Desculpe por ter feito você saltar desse jeito.

Parte de mim dizia que seria mesmo sábio ir embora antes de ser assassinada e desmembrada, mas a voz dele era gentil e vagamente familiar, então me sentei no chão para sentir o frio do calçamento de pedra se transferindo a mim.

Apoiei os cotovelos nos joelhos e inspirei o ar salgado. E, antes que me desse conta do que estava acontecendo, comecei a soluçar.

— Minha cara menina — disse o homem.

Ele não se moveu, não estendeu a mão, nem se levantou. Mas sua voz áspera e aveludada era pura e bondosa, e o terrível aperto dentro de mim começou a afrouxar. Como uma pequena chave sendo virada delicadamente.

— O que está afligindo você?

Contei a ele que era amiga de um garoto chamado Oscar Dunleavy. Contei que tinha decepcionado gravemente meu amigo e que agora ele estava morto e era culpa minha.

— Como pode ser culpa sua? — perguntou ele. A princípio, não consegui responder. Mas, quando comecei a falar, tentei explicar que o tinha abandonado quando ele devia precisar de mim, que meu orgulho e meu ciúme tinham me impedido de escrever para ele e que agora eu nunca poderia lhe mandar uma mensagem. Nunca mais. Pressionei as mãos contra a pedra irregular e chorei de novo.

— Ele também era meu amigo — disse o homem, depois que parei de chorar e passamos séculos em silêncio. — Ele e aquelas lendárias tortas de maçã.

Ergui o rosto, e só naquele momento o reconheci.

— Barney? — falei. — Barney Brittle? É você?

— Sim. — Ele riu. — Sou eu mesmo.

— Mas você está tão limpo!

Eu me desculpei de imediato, porque poderia ter parecido muito grosseiro, mas ele não pareceu ofendido. Sorriu e disse que as coisas tinham melhorado muito para ele desde que me vira pela última vez.

— Sou outro homem. O que você conheceu estava em um momento terrível. Não mais, ainda bem. Agradeço ao seu amigo Oscar por me ajudar a virar o jogo, e a você também, Meg.

Barney disse que a torta de maçã fora algo mágico.

— Sabe, normalmente as pessoas ignoram os problemas dos outros. O mundo é um lugar desalmado, mas não é sempre porque as pessoas não se importam. Às vezes é porque estão envergonhadas, porque não sabem o que dizer ou porque simplesmente não conseguem olhar nos olhos de alguém que está sofrendo.

"Seu Oscar inventou a própria resposta perfeita para os problemas dos outros. Assim que via o infortúnio, desempenhava a única tarefa que fazia sentido para ele na hora. Preparava uma daquelas magníficas tortas de maçã."

* * *

Por algumas noites seguidas, parecia que Barney estaria sempre ali. De madrugada, ele se sentava pacientemente no poste, cercado pelo silêncio difícil de ser distinguido, não fosse pelo brilho laranja de seu cigarro permanentemente aceso.

— Olá de novo, minha querida — disse Barney, e mais uma vez foi como se estivéssemos nos encontrando em uma hora normal e em um lugar normal, não no meio da noite no píer.

Ele me contou que tinha feito muita coisa na vida, mas que nos últimos tempos alguém dissera que ele era um bom ouvinte, e ele percebera que era disso que mais tinha orgulho agora. Ouvir, disse ele, talvez seja a habilidade mais importante que se pode aprender.

E era verdade. Ele sabia mesmo me deixar terminar o que quer que eu começasse a dizer. Nunca fazia perguntas idiotas, mas sempre me encorajava a chegar ao fim de cada história. Metade de uma história não vale a pena para ninguém. E não sei por que, mas explicar as coisas para ele me ajudava a entendê-las.

Contei sobre A Proporção, que era algo que Paloma tinha tentado me explicar.

— É por isso que pessoas como Andy Fewer sempre ficam com a garota de pele perfeita, dos olhos cor de chocolate e cabelo que parece seda dourada.

— Você sabe que tipo de pessoa ela é?

— Na verdade, não, acho. Só sei algumas coisas sobre ela, mas, pelo que sei, a considero horrível. Uma pessoa horrível com o rosto de um anjo.

Um montinho de gravetos e uma tora estavam amontoados ao lado do poste de amarração naquela noite. Do outro lado, havia uma mala arroxeada arranhada e furada pelo tempo, com um fecho de metal brilhante. Fora isso, tudo estava como de costume.

Ele esfregou as mãos e se inclinou para perto.

— Parece que você gostaria de se aquecer — disse ele, abrindo a mala e desdobrando um enorme cobertor verde com um gesto gracioso. — Aqui, enrole-se com isto.

Ele acendeu um fósforo sob o ninho de gravetos. Eles crepitaram e estalaram por um segundo, e depois um grande clarão surgiu. Uma gaivota gritava acima de um dos barcos pesqueiros, e o vento formava suaves pregas na superfície do mar.

Meu rosto ficou mais quente perto do fogo, e o cobertor que parecera tão leve quando ele o jogara para mim pesava sobre meu corpo, pressionando meus ombros e braços com seu peso reconfortante, mantendo-me firmemente plantada no lugar.

— Meg, minha querida — disse ele. — A perda do seu querido amigo a preocupa?

— Na verdade, me atormenta — respondi. — Acho que pode estar me enlouquecendo. Voltei porque estava determinada a encontrá-lo. Voltei para casa me recusando a acreditar no que todo mundo parecia tomar como certo desde o começo. Tenho procurado por ele, Barney, mesmo quando não quero. Tenho procurado o rosto dele nas multidões, nas esquinas, em lugares aos quais ele poderia ter ido. Comecei minha busca com muita esperança, muita confiança, muita certeza, mas ela está acabando, e eu já praticamente esqueci como é o rosto de Oscar.

— Isso seria de fato uma tragédia — respondeu Barney.

— Acha que estou deixando passar alguma coisa? — perguntei, porque ele parecia muito sábio e inteligente.

— Hmm — disse ele. — Não sei, mas às vezes sinto coisas aqui que poderiam nos fornecer algum tipo de pista.

— Do que você está falando?

— Recebo pistas que evaporam do mar.

— Sério?

— Sim — respondeu ele. — Coisas como tristeza, grande perda e preocupação. Humilhação e culpa. E amizade, amor e decepção.

— Barney, você tem alguma ideia do que aconteceu com ele?

— Não posso responder a essa pergunta, mas vou dizer algumas coisas que sei.

Achei que ele ia me dar informações, algo para investigar, alguma pista para seguir, mas o que ele disse foi o seguinte:

— Nada é como você acha que é. Muita coisa não é o que parece. Às vezes, as coisas parecem ser de um jeito, mas talvez não sejam. Às vezes as pessoas precisam que você continue procurando por elas, ou pelo menos perguntando sobre elas. E, com muita frequência, as pessoas foram silenciadas e precisam que outros falem por elas. É quando você para de procurar, perguntar e falar que realmente estarão perdidas. Não desista, Meg.

— Então você acha que ele pode estar vivo?

— O que importa não é o que eu acho — respondeu. Ele estava sendo irritantemente misterioso, mas era tão bom conversar com ele que de repente me vi contando a Barney sobre a carta.

— Eu escrevi uma carta para ele, basicamente dizendo que o amava, mas descobri que Paloma a trocou por uma carta horrível que ela mesma escreveu.

— Hein, como é? O que foi? O que você falou?

Eu estava explicando novamente, repetindo que Paloma tinha escrito um bilhete e fingido que era meu. Ele era velho, e me parecia que não tinha escutado da primeira vez.

— Você o amava? — perguntou Barney. — Você amava Oscar? Não só como amiga, mas do jeito antigo? O jeito que garotas amaram garotos desde que existem garotas e garotos?

— Sim, o que você achava?

— E Paloma fez *o que* com a sua carta?

Contei a ele outra vez.

— Aquela megera venenosa.

Falei que não poderia ter pensado em um insulto melhor. E aí ele se levantou, apagando o fogo, empertigando-se e de repente parecendo estar com muita pressa.

— Oh, Deus, Meg, eu me lembrei de uma coisa. Preciso ir, obrigado, quero dizer, adeus; quero dizer, preciso voltar para casa, imediatamente, me desculpe.

E antes que eu conseguisse dizer mais uma palavra, Barney havia partido.

A ÚLTIMA FATIA

Barney estava inquieto. Suas perambulações noturnas começavam a me preocupar. Chegou a um ponto em que ele nunca parecia capaz de dormir à noite sem se levantar e sair para um ou outro passeio sem rumo. Ele suspirava, olhando para a lareira, e dizia “Oh, Deus” em voz baixa, e eu continuava a preparar tortas, mas estava começando a achar que mil tortas de maçã não conseguiriam curar o que Barney tinha.

* * *

Então, uma noite, fiquei acordado fazendo carinho em Homer e desejando que Barney voltasse. Fiquei feliz quando ouvi o portão bater.

— OSCAR! OSCAR! OSCAR! — gritou ele como se tivesse algo muito urgente para me dizer. Fui até a porta e o vi subindo a colina com dificuldade, como um homem empenhado em uma missão. Ele parou no portão, inclinando-se para a frente. Eu esperei, e ele continuou parado no portão, depois se segurou ao pilar. Decidi entrar e colocar a chaleira no fogo porque ainda havia duas fatias da minha última torta nos esperando e, como ele diria, o que poderia ser mais agradável no meio da noite?

Mas Barney não chegou à porta. Continuei fazendo o chá e colocando as duas últimas fatias de torta nos pratos de Peggy, que tinham pequenos desenhos de faróis e imagens do pôr do sol. E, de repente, fiquei com medo. Meio que sabia que Barney não ia entrar, que algo tinha acontecido com ele, e eu não conseguia suportar. Não conseguia suportar ir até ele lá fora. Só queria continuar fazendo chá e arrumando tudo, porque talvez, se fingisse que nada estava acontecendo, se seguisse em frente como se tudo estivesse completamente normal e Barney estivesse muito bem, isso se tornaria verdade.

Mas Barney não veio.

* * *

Quando cheguei lá fora, ele estava deitado na grama.

— Barney, Barney, por favor, levante-se. — Mas ele não conseguia. Mal conseguia falar. Ele me deu tapinhas na cabeça, e eu não sabia o que fazer. Perguntei se ele precisava de alguma coisa, mas ele balançou a cabeça.

— Meu caro rapaz, era uma falsificação! — Era tudo o que ele dizia.

Eu não entendia o que ele estava falando, e achei que podia estar delirando ou coisa parecida, então respondi:

— Não tente falar, Barney, você vai ficar bem.

Eu sabia que, se ele não ficasse bem, também seria minha culpa, e comecei a ter certeza de que eu era o anjo da morte. Desejei ter algum poder e desejei ser forte, mas eu era inútil, fraco e matava pessoas que amava com tortas de maçã, atitudes idiotas e por não aguentar olhar.

Saí correndo da casa de Barney, descendo a estrada, e tropecei. Caí e machuquei o braço, a mão e o rosto. Quando me levantei, continuei correndo, balançando os braços e dizendo:

— Socorro, socorro, por favor me ajudem, é Barney Brittle. Acho que ele está morrendo. Ele precisa de um médico. Precisamos levá-lo logo a um hospital. Por favor, alguém ajude.

* * *

A equipe da ambulância foi muito legal. Eles acomodaram Barney e foram pacientes, embora eu tenha feito um monte de perguntas sobre o que estava errado com ele, se ele ia ficar bem e se poderia ter feito mal para ele comer tanta torta de maçã quanto vinha comendo nos últimos tempos. Os paramédicos disseram que não sabiam muito bem o que havia de errado, mas que ele era um homem velho e, embora estivesse impecavelmente vestido e obviamente bem-cuidado, normalmente era difícil saber como alguém da idade dele se recuperaria de um "episódio" como o que ele parecia ter tido. Disseram que o pobre Barney estava agitado, e eu queria me sentar ao lado dele, mas me informaram que ele precisava de cuidados médicos especializados.

— Caro rapaz — gritou ele outra vez. — Ela não escreveu aquela carta! Não foi ela quem escreveu. Era uma falsificação! — Nenhum de nós sabia do que ele estava falando, e quanto mais Barney tentava falar, mais rápido um dos caras legais da ambulância preparava alguma coisa em uma seringa. Depois que a enfiou no braço de Barney, suas palavras se transformaram em um murmúrio baixo, e ele adormeceu.

Por um lado, foi um alívio, porque eu não queria que ele ficasse nervoso, perturbado ou que sentisse dor, mas o problema era que a respiração tranquila de Barney permitiu que a equipe da ambulância se concentrasse em mim.

— E quem é você? — perguntou um deles, para quem menti, dizendo que era neto de Barney. Eles fizeram perguntas constrangedoras sobre o nome dos meus pais e dos meus irmãos e se eu estava com o meu avô sozinho. Também ficaram interessados em várias outras coisas. Eu não ia entrar em uma discussão. Falei que estava preocupado demais com a saúde de Barney para ser sujeitado a um interrogatório como aquele.

— Desculpem, mas isto é uma ambulância. Será que podemos voltar o foco para a pessoa doente?

— Sim, claro — disseram os dois, mas dava para ver que estavam me olhando com desconfiança. Então me limitei a olhar com muita atenção para Barney e, dentro da minha cabeça, implorei para que tudo ficasse bem.

Eles me deixaram ficar do lado de fora do quarto dele no hospital e prometeram que me deixariam entrar assim que ele estivesse bem o bastante para falar. Fiquei muito feliz quando o vi em seguida pois, embora estivesse preso a monitores, tubos e coisas assim, ele estava alegre, lúcido e deu um tapinha na cama, dizendo para eu me sentar.

— Oscar — disse ele. — As coisas podem estar prestes a mudar para nós dois.

Eu lhe disse para não tirar conclusões precipitadas. Aquilo podia ser apenas um pequeno problema de saúde e talvez estivéssemos de volta ao chalé antes de escurecer.

Ele respondeu que era possível, mas que talvez precisássemos dar algumas explicações, e eu sabia que ele estava certo, mas fiz tudo o que podia para não pensar nisso.

— Eu estava tentando lhe contar uma coisa... uma coisa que você precisa saber. A sua amiga Meg... ela queria que você soubesse que está *apaixonada* por você, e foi isso o que escreveu na carta, e aquela outra... aquela fulana... aquela garota megera arrancou essas palavras preciosas do envelope onde Meg tinha colocado a carta, e aquela fedelha... — Barney começou a tossir e tive de lhe dar um pouco de água, embora estivesse começando a me sentir bastante entorpecido ao pensar no que ele estava me dizendo. — ... Aquela fedelha... substituiu as lindas palavras da Meg por outras palavras, todas falsas. Oscar, você simplesmente não pode deixar esse mal-entendido prevalecer, está me ouvindo? Esta é a sua chance de esclarecer tudo.

Eu não sabia se Barney realmente sabia do que estava falando. Talvez tivesse imaginado aquilo ou tido um sonho vívido; dizem que às vezes isso acontece com pessoas em estado grave.

— Mas, Barney, você prometeu, prometeu que eu podia ficar com você no chalé, e que você nunca me pediria para voltar.

— Foi antes *disso*! — disse ele. — Isso muda tudo, e minhas promessas se tornam vazias e vãs. Meg queria que você soubesse que ela o ama. Meu querido amigo, você precisa encarar todo mundo. Não só Meg, mas seu pobre pai, seu irmão mais novo e seus amigos, e deve dizer àquela garota terrível, Paloma Sei-lá-de-quê, que o comportamento dela foi péssimo. Ela precisa saber que não pode tentar prejudicar as pessoas do jeito que tentou prejudicar você.

— Como sabe? Como você sabe disso?

Ele me contou que tinha encontrado com Meg no píer. Era para lá que ele ia. Ao que parecia, tinha conversas detalhadas com ela sobre um monte de coisas, incluindo Paloma.

— Acabamos nos conhecendo muito bem. Ela é uma pessoa incrível — explicou ele. — Foi ela quem me falou do

Dia de Oração por você, que todo mundo estava chorando sua morte e daí em diante. Foi ela quem me contou onde Paloma e a mãe estão morando agora. The Paddocks, número 2. Sabe, do outro lado da cidade.

Pensei em Meg e no quanto desejava poder vê-la e explicar tudo, mas parecia tarde demais e eu me perguntava como poderia encarar alguém, principalmente ela, depois do que tinha descoberto sobre mim mesmo, do acidente, de todo esse fingimento, do sumiço e dessa imensa mentira que eu vinha contando ao mundo.

— Mas, Barney, o que eu diria a todo mundo? O que diria à Meg? Como explicaria? Como posso voltar agora?

— Como pode não voltar? — disse Barney, sorrindo.

Ele vasculhou sua jaqueta até achar uma pilha de bilhetes amarelos amassados.

— O que é isso? — perguntei.

— Mensagens de Stevie — respondeu ele. Eu comecei a ler.

— Com licença, por acaso seu nome é Oscar Dunleavy? — perguntou uma mulher de óculos e rabo de cavalo que parecia ter surgido do nada. Achei que era apenas uma questão de tempo. Quero dizer, minha foto estava em todo lugar, houvera uma enorme busca e todo mundo sabia como eu era. Expliquei a Barney que, se ia voltar, seria do meu jeito. O bipe da moça do rabo de cavalo apitou, e ela saiu apressada. Era minha deixa. Beijei a mão velha de Barney, enfiei os bilhetes de Stevie no bolso e corri.

* * *

A chuva parecia milhares de pequenos chicotes me açoitando por todos os ângulos. Eu me inclinei como o lado de um triângulo por causa do vento e andei rápida e resolutamente, sem parar, hesitar ou dar a volta porque àquela altura já tinha decidido, e quando você decide, deve ir até o fim.

Fui até o número 2 do Paddocks e fiquei na varanda por um bom tempo, olhando os detalhes da fenda para cartas na porta. Encostei a mão na porta por mais ou menos um minuto para me equilibrar. Disse a mim mesmo para ficar firme, ainda que achasse que, assim que a visse, minha nova força psicológica e minha sabedoria derreteriam e eu voltaria a ser Oscar que era antes, preparado para tolerar qualquer coisa pela paz. Mas paz construída sobre mentiras, relembrei, não é paz.

Fiquei na ponta dos pés e espiei pelo olho mágico.

Paloma se aproximava, e seu rosto estava distorcido. O nariz parecia enorme; um olho imenso e o outro, minúsculo.

Eu me sentia corajoso, e esse sentimento ficou praticamente gravado no meu cérebro, como uma mensagem tatuada para sempre e da qual nunca vou esquecer.

Cerrei os dentes, que tinham começado a bater, visto que eu estava molhado e fustigado pela chuva. A campainha não funcionava. Levantei a aba da fenda, que oscilou e caiu de forma patética, fazendo um som que provavelmente ninguém ouviria. Então fechei o punho e bati na porta umas dez vezes, sussurrando o nome de Paloma até ela aparecer. Assim que a vi, um vento soprou através de mim como se eu fosse a porta que fora aberta. Havia uma toalha enrolada na cabeça dela e todo o seu rosto estava coberto com uma máscara branca de creme.

— Paloma, sou eu. Eu não morri.

A boca de Paloma se abriu por um segundo e depois se fechou, assim como seus olhos. Ela desmaiou como um ator de cinema sem talento, caindo em um amontoado de toalha, creme e pele macia, e milagrosamente a toalha continuou enrolada na sua cabeça como um turbante. Eu a levantei. Tive que. Não havia mais ninguém em casa.

— Você substituiu a carta de Meg por outra, não foi? E foi você que fez todo mundo achar que as minhas tortas de maçã eram toscas e idiotas? Foi você, não foi? E ainda inventou A Proporção porque é assim que quer que o mundo funcione, mas não necessariamente funciona assim, não é? E você sabia que eu não sabia do acidente que matou a minha mãe e feriu Stevie e me contou de propósito, não foi? Você tentou me derrubar, Paloma, mas você falhou. Eu não estou morto. Eu não me matei.

— Mas, Oscar, alguém tinha de lhe mostrar essas coisas sobre você mesmo. Você era bizarro. Olhava para mim toda noite com aquele telescópio assustador. Você me assediava dentro do meu próprio quarto.

— Paloma, eu usava o telescópio para olhar as *estrelas*. Por que o teria usado para olhar você?

— Porque eu sou linda — disse ela, com o maxilar pulsando de tensão.

Eu queria dar a ela a chance de explicar, mas nada do que dizia era plausível. Então tentou uma abordagem diferente. Disse que não sabia que suas ações iam me levar ao suicídio.

— Não levaram — falei.

— Por que você decidiu voltar? — perguntou ela, inclinando a cabeça para o lado como sempre fazia.

— Por amor — falei.

— Oscar, eu gosto muito de você — disse ela. — Gosto muito mais de você do que todo mundo dizia. Mas não o amo. Não estou apaixonada por você.

— Por mim tudo bem, porque também não estou apaixonado por você.

— Então por que tentou me beijar naquele dia?

— Porque achei que você quisesse, e estava confuso. Porém, não estou mais.

— Então por que está aqui? — indagou ela, e me perguntei como alguém podia se iludir tanto.

— Estou aqui porque preciso dizer que é errado fazer as coisas que você tentou fazer comigo. E pode continuar fingindo, mas não vai fazer a menor diferença. Estou aqui para pedir que me diga o que tinha na carta de Meg.

— Por que você mesmo não pergunta a ela? — sugeriu, e tentou bater a porta, mas coloquei meu pé no caminho e a mantive aberta.

— Você se esforça muito para fazer os garotos sonharem com você — falei. — Bom, para sua informação, eu não sonho com você. Eu sonho com Meg. Você se sente poderosa e importante quando os caras se apaixonam por você, mas é um truque. Acho que precisa começar a pensar em outras maneiras de se sentir bem consigo mesma. Esse é o meu conselho, Paloma, aceite se quiser.

Ela me agradeceu, eu disse de nada, e ela admitiu que eu estava certo e que merecia alguém melhor que ela, o que é algo que garotas bonitas dizem com frequência, seja ou não verdade, mas nesse caso ela estava coberta de razão.

Ela disse que até Andy e Greg sentiam minha falta, e eu fiz uma cara de "aham, tá bom, até parece", e ela rebateu:.

— Não, sério, Oscar, é verdade.

* * *

Não vou falar muito do momento em que meu pai e Stevie me viram. O que vou dizer é que a princípio houve silêncio, depois barulho, e aí meu pai chorou e não parava de dizer "minha nossa", duas palavras que, se pensarmos bem, não deveriam ser ditas juntas.

Stevie se aproximou e também não parecia zangado. Abraçou meus joelhos como sempre fazia.

— Eu sabia — dizia ele. — Eu disse para todo mundo, mas ninguém acreditava em mim! — Então girou e me abraçou mais um pouco, e senti a magreza familiar de seus braços, só que não estavam tão magros quanto eu me lembrava. E ele falava rápido, coisas como: — U-hul! Não era um sonho. Eu estava ceeerto eu estava ceeerto! — E falava dos bilhetes que tinha deixado no píer.

Por incrível que pareça, nós três começamos a rir. Rimos até precisarmos nos sentar na grama do jardim para nos recuperar.

Tirei do bolso os bilhetes dele com palavras de esperança. Eram curtos, cheios de encorajamento e alegria, e vou guardá-los pelo resto da vida. Diziam que precisamos seguir em frente, nunca desistir, e como sou valioso e bom. Alguns deles faziam perguntas, principalmente sobre quais são as coisas necessárias para fazer uma torta de maçã perfeita.

* * *

Stevie e eu conversamos o dia inteiro e noite adentro, e meu pai não nos impediu nem disse que estava na hora de dormir. Conversamos sobre a vida. Contei a ele que o tirara de sua cadeirinha quando nossa mãe estava dirigindo e que foi por isso que o acidente aconteceu. Perguntei se ele conseguiria me perdoar, e ele disse que não havia nada a ser perdoado.

Fomos lá para fora, e Stevie ficou rodando pelo asfalto.

— Ouça, Oscar, e olhe para mim; este *sou* eu agora. Se você está cheio de culpa por causa de uma coisa que não tem como ser culpa sua, acabo me sentindo um garoto aleijado. Não sou um garoto aleijado. Na verdade, estou muito contente comigo mesmo — disse ele, fazendo um pequeno rodopio com a cadeira, girando sem parar e inclinando-se para trás e para a frente em uma série de movimentos impressionantes que desafiavam a gravidade. — Olhe para mim. Viu? Sério, Oscar, quem mais consegue fazer isso no mundo? Já tem gente demais que fica me encarando, que atravessa a rua ou fala alto comigo como se eu fosse retardado. Não me torne seu segredo triste, Oscar. Eu sou seu irmão, OK? Oscar? Está me entendendo?

Eu estava.

E Stevie fez seus movimentos com a cadeira de rodas. Ela cintilou na luz, e faíscas esvoaçantes o cercaram, como se fosse feito de partículas lunares, e, enquanto girava, elas se espalhavam ao seu redor, lançando um reflexo suave e lindo em seu rosto.

Eu nunca me lembrei muito da minha mãe, mas meu pai começou a falar dela para mim. Ao que parece, ela era adorável. O mais importante era sua bondade. Acho que deve ter aprendido isso com a minha avó, que também era extremamente bondosa.

Meu pai diz que a bondade é mágica. Por fora, parece suave e branda, mas tem poderes escondidos. Tenho certeza de que isso é verdade. Por exemplo, ainda é poderosa o suficiente para me acordar e me fazer pular da cama em horários estranhos, como três da manhã, para fazer tortas.

Você pode achar que comer tortas de maçã seria a última coisa que alguém desejaria no meio de uma crise, mas, no final das contas, a menor garfada pode tornar tudo suportável outra vez, mesmo que a crise tenha uma quantidade enorme de tristeza e esteja cheia de desespero.

Jornalistas, gente da TV e escritores apareceram para me entrevistar sobre isso, mas, quando perguntam qual é o meu segredo, dou de ombros, porque é difícil explicar.

* * *

Percebi que a estava evitando porque não conseguia decidir o que dizer. Mas não podia mais esperar. Então, na noite seguinte, eu estou sentado na minha janela me perguntando como seria voltar à escola quando a luz dela se acende e eu a vejo. É Meg, claro, e ela se aproxima da janela e parece que nada disso aconteceu e que somos apenas nós outra vez, porque ela não diz "Como você se atreve?" ou "Onde você estava?" ou "Como você pôde?", e seu rosto está tranquilo.

— Preciso falar com você — digo.

— Está falando comigo agora, não está? — E abre um sorriso. Conto sobre o acidente e o que eu fiz. E ela também diz que não é culpa minha, e as lágrimas nas suas bochechas parecem fazer seu rosto brilhar no escuro. Sinto tantas coisas ao mesmo tempo que não consigo respirar. Sinto principalmente que nunca quero que Meg fique triste. Quero eliminar toda a tristeza que ela sente agora, toda a tristeza que já sentiu e toda a tristeza que ainda vai sentir, embora saiba que não posso fazer isso.

Então falo que o que preciso dizer não pode ser dito ali nas nossas janelas. E ela me pergunta do que estou falando, porque sempre pudemos dizer tudo um ao outro dali. Mas respondo que, para o que tenho a dizer agora, não serve. E peço que me encontre no portão dela.

— Então esteja lá em dois minutos — diz ela. E ela está, e antes que eu tenha a chance de falar qualquer coisa, ela espalma a mão no meio do meu peito e a deixa ali por um bom tempo. E, embora o futuro pareça frágil e incerto, o presente tem algo novo. Algo seguro.

O que quer que me espere amanhã, na próxima semana ou no futuro distante, a mão de Meg está bem no centro do meu corpo, imóvel e aberta, forte e pequena. Não consigo imaginar nenhuma pessoa mais linda.

E se eu acabar novamente na ponta do píer, pensando em pular, ou se outra vez estiver perdido, desesperado ou sentindo que não tenho para onde ir, a marca da mão da Meg vai estar sempre ali, muito depois que ela a retirar. Vai ser minha salvação.

Aproximo meu rosto do dela, e ela aproxima seu rosto do meu, e eu pergunto "tudo bem?", e ela responde "sim". Prendo a respiração quando a beijo. Ela fecha os olhos e retribui. Não fecho meus olhos. Eu os mantenho abertos para poder vê-la bem de perto.

Ainda tenho um monte de coisas para resolver, claro, como meu primeiro dia de volta às aulas, Andy e Greg, e as coisas que as pessoas ainda podem estar pensando e dizendo sobre mim.

Neste momento, somos só eu e Meg dizendo um ao outro algo que ambos já sabemos. Estamos sozinhos, mas eu queria que o mundo inteiro estivesse vendo. É noite, mas já desejo a chegada do novo dia.

Agradecimentos

Obrigada a Ben Moore, que entende e valoriza os primeiros manuscritos melhor que qualquer outra pessoa que conheço, e para os outros grandes Moore da minha vida: Elizabeth, Paul, Meredith, David e Morgan. E para os poderosos clãs O'Dea e Fitzgerald.

Um agradecimento especial também a Melanie Sheridan, Sam Ronan, Sarah MacCurtain, Fionnuala Price, Julie Hamilton, Terry Barrett, Caroline O'Dea, Liz Heffernan, Jennifer O'Dea, Clare Zbinden, Helen O'Dea, Eoin Devereux, Liz Devereux, Terry Maguire, Maura Murphy, Karen Young, Aelish Nagle, Fiona Geoghegan, Joe O'Dea, Milo Egan, Mika Egan, Ella Nethercott, Alannah Nethercott, Stella Byng, Declan Byng, e James e Martha Joyce.

Minha enorme gratidão a Jo Unwin, minha fabulosa agente, a Fiona Kennedy, minha esplêndida editora, e à grande equipe da Orion Children's Books.

Obrigada a meus adorados filhos Eoghan, Steffie e Gabriela, que eliminaram qualquer risco de monotonia da minha vida, e a Ger Fitzgerald, por coisas tão numerosas e maravilhosas que eu não conseguiria nem começar a listá-las.

Sarah Moore Fitzgerald
Irlanda
Janeiro de 2014

Este livro foi composto na tipologia Warnock Pro,
em corpo 11/15,2, e impresso em papel offwhite
no Sistema Digital Instant Duplex
da Divisão Gráfica da Distribuidora Record.